Collection folio junior

Michel Tournier est né en 1924 d'un père gascon et d'une mère bourguignonne, universitaires et germanistes. Après des études de droit et de philosophie, il s'oriente vers la photographie, puis vers l'édition. *Vendredi ou les Limbes du Pacifique*, paru en 1967, est couronné par le grand prix du roman de l'Académie française ; *Le Roi des Aulnes* obtient le prix Goncourt en 1970. Dès lors, Michel Tournier, dans son vieux presbytère de la vallée de Chevreuse, se consacre au « métier d'écrivain ». Il est l'auteur de plusieurs romans, d'essais, de contes et de récits pour la jeunesse, et d'une autobiographie intellectuelle, *Le Vent Paraclet*. Depuis 1972, il est membre de l'académie Goncourt.

Pierre-Marie Valat a dessiné la couverture de *Vendredi ou la Vie sauvage*. Né à Saumur en 1953, il a étudié le dessin à l'École des arts décoratifs de Paris, avant de se consacrer à l'illustration de livres pour la jeunesse. Il aime les images simples, bien construites, la symétrie et les couleurs vives. Mais il sait aussi composer des images tendres et poétiques.

Pour Folio Junior, il a réalisé de nombreuses couvertures parmi lesquelles la série des *Flicka* de Mary O'Hara, *Le Vœu du paon* de Jean-Côme Noguès et *Le Démon de l'école* de Alexis Lecaye.

Georges Lemoine a trouvé dans cette œuvre de Michel Tournier la mesure même de son inspiration faite d'audace et de raffinement, de précision et de sensibilité. Il illustre le plus souvent des textes destinés aux jeunes lecteurs, créant à leur intention des fenêtres dans les pages imprimées... Georges Lemoine a illustré de nombreux textes d'auteurs contemporains, comme Rolande Causse, J.-M. G. Le Clézio, Jacques Roubaud, Michel Tournier, Claude Roy, Marguerite Yourcenar. Mais il aime tout particulièrement le grand conteur Hans Christian Andersen.

ISBN : 2-07-051329-7
Loi n° 49-956 du 16 juillet 1949
sur les publications destinées à la jeunesse
©Éditions Flammarion, 1971, pour la première édition en album illustré
©Éditions Gallimard, 1977, pour les illustrations
©Éditions Gallimard, 1987, pour le supplément
©Éditions Gallimard Jeunesse, 1997, pour la présente édition
Dépôt légal : février 2004
1er dépôt légal dans la même collection : novembre 1987
N° d'édition : 129630-N° d' impression : 94737
Imprimé en Espagne par
Novoprint (Barcelone)

Michel Tournier

Vendredi
ou la vie sauvage

D'après " Vendredi ou les limbes du Pacifique "
(Gallimard)

Illustrations de Georges Lemoine

Gallimard

pour Laurent

A la fin de l'après-midi du 29 septembre 1759, le ciel noircit tout à coup dans la région de l'archipel Juan Fernandez, à six cents kilomètres environ au large des côtes du Chili. L'équipage de *La Virginie* se rassembla sur le pont pour voir les petites flammes qui s'allumaient à l'extrémité des mâts et des vergues du navire. C'était des feux Saint-Elme, un phénomène dû à l'électricité atmosphérique et qui annonce un violent orage. Heureusement, *La Virginie* sur laquelle voyageait Robinson n'avait rien à craindre, même de la plus forte tempête. C'était une galiote hollandaise, un bateau plutôt rond, avec une mâture assez basse, donc lourd et peu rapide, mais d'une stabilité extraordinaire par mauvais temps. Aussi le soir, lorsque le capitaine van Deyssel vit un coup de vent faire éclater l'une des voiles comme un ballon, il ordonna à ses hommes de replier les autres voiles et de s'enfermer avec lui à l'intérieur, en attendant que ça se passe. Le seul danger qui était à craindre, c'était des récifs ou des bancs de sable, mais la carte n'indiquait rien de ce genre, et il semblait que *La Virginie* pouvait fuir sous la tempête pendant des centaines de kilomètres sans rien rencontrer.

Aussi le capitaine et Robinson jouaient-ils aux cartes tranquillement pendant qu'au-dehors l'ouragan se déchaînait. On était au milieu du XVIIIe siècle, alors que beaucoup d'Européens — principalement des Anglais — allaient s'installer en Amérique pour faire fortune. Robinson avait laissé à York sa femme et ses deux enfants, pour explorer l'Amérique du Sud et voir s'il ne pourrait pas organiser des échanges commerciaux fructueux entre sa patrie et le Chili. Quelques semaines plus tôt, *La Virginie* avait contourné le continent américain en passant bravement le terrible cap Horn. Maintenant, elle remontait vers Valparaiso où Robinson voulait débarquer.

— Ne croyez-vous pas que cette tempête va beaucoup retarder notre arrivée au Chili? demanda-t-il au capitaine en battant les cartes.

Le capitaine le regarda avec un petit sourire ironique en caressant son verre de genièvre, son alcool préféré. Il avait beaucoup plus d'expérience que Robinson et se moquait souvent de son impatience de jeune homme.

— Quand on entreprend un voyage comme celui que vous faites, lui dit-il après avoir tiré une bouffée de sa pipe, on part quand on le veut, mais on arrive quand Dieu le veut.

Puis il déboucha un tonnelet de bois où il gardait son tabac, et il y glissa sa longue pipe de porcelaine.

— Ainsi, expliqua-t-il, elle est à l'abri des chocs et elle s'imprègne de l'odeur mielleuse du tabac.

Il referma son tonnelet à tabac et se laissa aller paresseusement en arrière.

— Voyez-vous, dit-il, l'avantage des tempêtes, c'est qu'elles vous libèrent de tout souci. Contre les éléments déchaînés, il n'y a rien à faire. Alors on ne fait rien. On s'en remet au destin.

A ce moment-là, le fanal suspendu à une chaîne qui éclairait la cabine accomplit un violent arc de cercle et éclata contre le plafond. Avant que l'obscurité totale se fasse, Robinson eut encore le temps de voir le capitaine plonger la tête la première par-dessus la table. Robinson se leva et se dirigea vers la porte. Un courant d'air lui apprit qu'il n'y avait plus de porte. Ce qu'il y avait de plus terrifiant après le tangage et le roulis qui duraient depuis plusieurs jours, c'était que le navire ne bougeait plus du tout. Il devait être bloqué sur un banc de sable ou sur des récifs. Dans la vague lueur de la pleine lune balayée par des nuages, Robinson distingua sur le pont un groupe d'hommes qui s'efforçaient de mettre à l'eau un canot de sauvetage. Il se dirigeait vers eux pour les aider, quand un choc formidable ébranla le navire. Aussitôt après, une vague gigantesque croula sur le pont et balaya tout ce qui s'y trouvait, les hommes comme le matériel.

Lorsque Robinson reprit connaissance, il était couché, la figure dans le sable. Une vague déferla sur la grève mouillée et vint lui lécher les pieds. Il se laissa rouler sur le dos. Des mouettes noires et blanches tournoyaient dans le ciel redevenu bleu après la tempête. Robinson s'assit avec effort et ressentit une vive douleur à l'épaule gauche. La plage était jonchée de poissons morts, de coquillages brisés et d'algues noires rejetés par les flots. A l'ouest, une falaise rocheuse s'avançait dans la mer et se prolongeait par une chaîne de récifs. C'était là que se dressait la silhouette de *La Virginie* avec ses mâts arrachés et ses cordages flottant dans le vent.

Robinson se leva et fit quelques pas. Il n'était pas blessé, mais son épaule contusionnée continuait à lui faire mal. Comme le soleil commençait à brûler, il se fit une sorte de bonnet en roulant de grandes feuilles qui croissaient au bord du rivage. Puis il ramassa une branche pour s'en faire une canne et s'enfonça dans la forêt.

Les troncs des arbres abattus formaient avec les taillis et les lianes qui pendaient des hautes branches un enchevêtrement difficile à percer, et souvent Robinson devait ramper à quatre pattes pour pouvoir avancer. Il n'y avait pas un bruit, et aucun animal ne se montrait. Aussi Robinson fut-il bien étonné en apercevant à une centaine de pas la silhouette d'un bouc sauvage au poil très long qui se dressait immobile, et qui paraissait l'observer. Lâchant sa canne trop légère, Robinson ramassa une grosse souche qui pourrait lui servir de massue. Quand il arriva à proximité du bouc, l'animal baissa la tête et grogna sourdement. Robinson crut qu'il allait foncer sur lui. Il leva sa massue et l'abattit de toutes ses forces entre les cornes du bouc. La bête tomba sur les genoux, puis bascula sur le flanc.

Après plusieurs heures de marche laborieuse, Robinson arriva au pied d'un massif de rochers entassés en désordre. Il découvrit l'entrée d'une grotte, ombragée par un cèdre géant; mais il n'y fit que quelques pas, parce qu'elle était trop profonde pour pouvoir être explorée ce jour-là. Il préféra escalader les rochers, afin d'embrasser une vaste étendue du regard. C'est ainsi, debout sur le sommet du plus haut rocher, qu'il constata que la mer cernait de tous côtés la terre où il se trouvait et qu'aucune trace d'habitation n'était visible : il était donc sur une île déserte. Il s'expliqua ainsi l'immobilité du bouc qu'il avait assommé. Les animaux sauvages qui n'ont jamais vu l'homme ne fuient pas à son approche. Au contraire, ils l'observent avec curiosité.

Robinson était accablé de tristesse et de fatigue. En errant au pied du grand rocher, il découvrit une espèce d'ananas sauvage qu'il découpa avec son couteau de poche et qu'il mangea. Puis il se glissa sous une pierre et s'endormit.

Réveillé par les premiers rayons du soleil levant, Robinson commença à redescendre vers le rivage d'où il était parti la veille. Il sautait de rocher en rocher et de tronc en tronc, de talus en talus et de souche en souche, et il y trouvait un certain plaisir parce qu'il se sentait frais et dispos après une bonne nuit de sommeil. En somme sa situation était loin d'être désespérée. Certes, cette île était apparemment déserte. Mais cela ne valait-il pas mieux que si elle avait été peuplée de cannibales? En outre elle paraissait assez accueillante avec sa belle plage au nord, des prairies très humides et sans doute marécageuses à l'est, sa grande forêt à l'ouest, et, en son centre, ce massif rocheux que perçait une grotte mystérieuse et qui offrait un point de vue magnifique sur tout l'horizon. Il en était là de ses réflexions quand il aperçut au milieu de la piste, qu'il avait suivie la veille, le cadavre du bouc assommé. Déjà une demi-douzaine de vautours au cou déplumé et au bec crochu se disputaient la charogne. Robinson les dispersa en faisant tournoyer son bâton au-dessus de sa tête, et les gros oiseaux s'envolèrent lourdement l'un après l'autre en courant sur leurs pattes torses pour décoller. Puis il chargea sur ses épaules ce qui restait du bouc, et poursuivit plus lentement sa marche vers la plage. Là, il découpa avec son couteau un quartier de viande et le fit rôtir suspendu à trois bâtons noués en trépied au-dessus d'un feu de bois. La flamme pétillante le réconforta davantage que la viande coriace et qui sentait le bouc. Il décida d'entretenir toujours ce feu pour économiser son briquet à silex et pour attirer l'attention de l'équipage d'un navire qui croiserait éventuellement au large de l'île. Il est vrai que rien ne pouvait mieux alerter des matelots de passage que l'épave de *La Virginie* toujours plantée sur son récif; d'autant plus qu'elle pouvait donner l'espoir d'un riche butin à ceux qui s'en empareraient.

Ces armes, ces outils, ces provisions que contenait la cale du navire, Robinson pensait bien qu'il faudrait qu'il se décide à les sauver avant qu'une nouvelle tempête ne les emporte. Mais il espérait toujours n'en avoir pas besoin, parce que — pensait-il — un navire ne tarderait pas à venir le chercher. Aussi consacrait-il tous ses efforts à installer des signaux sur la plage et sur la falaise. A côté du feu toujours allumé sur la grève, il entassa des fagots de branchages et une quantité de varech grâce auxquels il provoquerait des torrents de fumée si une voile pointait à l'horizon. Ensuite, il eut l'idée d'un mât planté dans le sable, au sommet duquel était posée une perche. L'un des bouts de cette perche touchait au sol. En cas d'alerte, Robinson y fixerait un fagot enflammé, et il le ferait monter haut dans le ciel en tirant avec une liane sur l'autre bout de la perche. Plus tard, il trouva mieux encore : sur la falaise se dressait un grand arbre mort, un eucalyptus, dont le tronc était creux. Il bourra le tronc de brindilles et de bûchettes qui — enflammées — transformeraient vite tout l'arbre en une immense torche visible à des kilomètres.

Il se nourrissait au hasard de coquillages, de racines de fougères, de noix de coco, de baies, d'œufs d'oiseaux et de tortues. Le troisième jour, il jeta loin de lui la carcasse du bouc qui commençait à sentir. Mais il regretta bientôt ce geste, car les vautours qui s'en régalèrent ne cessèrent plus désormais de le suivre et de l'épier dans l'attente de nouvelles aubaines. Parfois, exaspéré, il les bombardait avec des pierres et des bûches. Alors les sinistres oiseaux s'écartaient paresseusement, mais c'était pour revenir aussitôt.

A la fin, Robinson n'en pouvait plus d'attendre en surveillant l'horizon vide. Il décida d'entreprendre la construction d'un bateau assez important pour rejoindre la côte du Chili. Pour cela, il lui fallait des outils. Il se résigna donc, malgré sa répugnance, à visiter l'épave de *La Virginie* pour en rapporter tout ce qui lui serait utile. Il réunit avec des lianes une douzaine de rondins en une sorte de radeau, instable certes, mais cependant utilisable à condition qu'il n'y ait pas de vagues. Une forte perche lui servit à faire avancer le radeau, car l'eau était peu profonde par marée basse jusqu'aux premiers rochers sur lesquels il put ensuite prendre appui. Il fit ainsi par deux fois le tour de l'épave. Ce qu'on pouvait voir de la coque était intact, et elle devait être plantée sur un récif caché sous l'eau. Si l'équipage était resté à l'abri de l'entrepont, au lieu de s'exposer sur le pont balayé par les lames, tout le monde aurait eu peut-être la vie sauve. Le pont était encombré par un tel enchevêtrement de mâts rompus, de vergues et de câbles emmêlés qu'il était difficile de se frayer un passage. Le même désordre régnait dans les soutes, mais l'eau n'y avait pas pénétré, et Robinson trouva dans des coffres des provisions de biscuits et de viande séchée dont il mangea ce qu'il put en l'absence de boisson. Certes il y avait aussi des bonbonnes de vin et d'alcool, mais Robinson était abstinent, il n'avait jamais goûté à une boisson alcoolisée, et il entendait bien se tenir à cette résolution. La grande surprise de la journée fut la découverte dans la partie arrière de la cale de quarante tonneaux de poudre noire, une marchandise dont le capitaine ne lui avait pas soufflé mot, de peur sans doute de l'inquiéter.

Il fallut à Robinson plusieurs jours pour transporter sur son radeau et mener jusqu'à terre tout cet explosif, car il était interrompu la moitié du temps par la marée haute qui l'empêchait de manœuvrer à la perche. Il en profitait alors pour mettre les tonneaux à l'abri du soleil et de la pluie sous une couverture de palmes immobilisées par des pierres. Il rapporta également de l'épave deux caisses de biscuits, une longue-vue, deux mousquets à silex, un pistolet à double canon, deux haches, une bêche, une pioche, un marteau, un ballot d'étoupe et une vaste pièce d'étamine rouge, étoffe de peu de prix destinée à d'éventuels échanges avec des indigènes. Il retrouva dans la cabine du capitaine le fameux tonnelet à tabac bien fermé, et, à l'intérieur, la grande pipe de porcelaine, intacte malgré sa fragilité. Il chargea aussi sur son radeau une grande quantité de planches arrachées au pont et aux cloisons du navire. Enfin il trouva dans la cabine du second une Bible en bon état qu'il emporta enveloppée dans un lambeau de voile pour la protéger.

Dès le lendemain, il entreprit la construction d'une embarcation qu'il baptisa par anticipation *L'Évasion*.

Dans une clairière parfaitement plane, Robinson mit à jour sous les herbes un beau tronc de myrte sec, sain et de belle venue qui pourrait faire la pièce maîtresse de son futur bateau. Il se mit aussitôt au travail, non sans continuer à surveiller l'horizon qu'il pouvait voir de son chantier, car il espérait toujours la survenue d'un navire. Après avoir ébranché le tronc, il l'attaqua à la hache pour lui donner le profil d'une poutre rectangulaire. Malgré toutes ses recherches dans *La Virginie,* il n'avait pu trouver ni clous, ni vis, ni vilebrequin, ni même une scie. Il travaillait lentement, soigneusement, assemblant les pièces du bateau comme celles d'un puzzle. Il escomptait que l'eau en faisant gonfler le bois donnerait à la coque une solidité et une étanchéité supplémentaires. Il eut même l'idée de durcir à la flamme l'extrémité des pièces, puis de les arroser après l'assemblage pour mieux les souder dans leur logement. Cent fois le bois se fendit sous l'action soit de l'eau, soit de la flamme, mais il recommençait toujours sans ressentir ni fatigue ni impatience.

Dans ces travaux c'était le manque d'une scie dont Robinson souffrait le plus. Cet outil — impossible à fabriquer avec des moyens de fortune — lui aurait épargné des mois de travail à la hache et au couteau. Un matin, il crut rêver encore en entendant à son réveil un bruit qui ne pouvait être que celui d'un scieur en action. Parfois le bruit s'interrompait, comme si le scieur changeait de bûche, puis il reprenait avec une régularité monotone. Robinson sortit doucement du trou de rocher où il avait l'habitude de dormir, et il avança à pas de loup vers l'endroit d'où provenait le bruit. D'abord il ne vit rien, mais il finit par découvrir au pied d'un palmier un crabe gigantesque qui sciait avec ses pinces une noix de coco serrée dans ses pattes. Dans les branches de l'arbre, à six mètres de haut, un autre crabe cisaillait la queue des noix pour les faire tomber. Les deux crabes ne parurent pas du tout gênés par l'arrivée de Robinson et ils poursuivirent tranquillement leur bruyant travail.

Faute de vernis ou même de goudron pour enduire la coque, Robinson entreprit de fabriquer de la glu. Il dut pour cela raser presque entièrement un petit bois de houx qu'il avait repéré dès le début de son travail. Pendant quarante-cinq jours, il débarrassa les arbustes de leur première écorce, et recueillit l'écorce intérieure en la découpant en lanières. Puis il fit longtemps bouillir dans un chaudron ces lanières d'écorce, et il les vit peu à peu se décomposer en un liquide épais et visqueux. Il répandit ce liquide encore brûlant sur la coque du bateau.

L'Évasion était terminée. Robinson commença à rassembler les provisions qu'il embarquerait avec lui. Mais il abandonna bientôt cette besogne en songeant qu'il convenait d'abord de mettre à l'eau sa nouvelle embarcation pour voir comment elle se comporterait. En vérité il avait très peur de cette épreuve qui allait décider de son avenir. *L'Évasion* allait-elle bien tenir la mer? Serait-elle assez étanche? N'allait-elle pas chavirer sous l'effet de la première vague? Dans ses pires cauchemars, elle coulait à pic à peine avait-elle touché l'eau, et Robinson la voyait s'enfoncer comme une pierre dans des profondeurs vertes...

Enfin il se décida à procéder au lancement de *L'Évasion*. Il constata d'abord qu'il était incapable de traîner sur l'herbe et sur le sable jusqu'à la mer cette coque qui devait bien peser cinq cents kilos. A vrai dire, il avait complètement négligé ce problème du transport du bateau jusqu'au rivage. C'était en partie parce qu'il avait trop lu la Bible, et surtout les pages concernant l'Arche de Noé. Construite loin de la mer, l'arche n'avait eu qu'à attendre que l'eau vînt à elle sous forme de pluie et de ruissellements du haut des montagnes. Robinson avait commis une erreur fatale en ne construisant pas *L'Évasion* directement sur la plage.

Il essaya de glisser des rondins sous la quille pour la faire rouler. Rien ne bougeait, et il parvint tout juste à défoncer l'une des planches de la coque en pesant sur elle avec un pieu qui basculait en levier sur une bûche. Au bout de trois jours d'efforts inutiles, la fatigue et la colère lui brouillaient les yeux. Il songea alors à creuser depuis la mer une tranchée dans la falaise jusqu'à l'emplacement du bateau. Celui-ci pourrait glisser dans cette tranchée et se retrouver ainsi au niveau du rivage. Il se jeta au travail. Puis il calcula qu'il lui faudrait des dizaines d'années de travaux de terrassement pour réaliser ce projet. Il renonça.

Pendant les heures les plus chaudes de l'été, les sangliers et leurs cousins d'Amérique du Sud, les pécaris, ont l'habitude de s'enfouir le corps dans certains marécages de la forêt. Ils battent l'eau du marécage avec leurs pattes jusqu'à ce qu'elle forme une sorte de boue très liquide, puis ils s'y enfoncent en ne laissant passer que leur tête, et se trouvent ainsi à l'abri de la chaleur et des moustiques.

Découragé par l'échec de *L'Évasion,* Robinson avait eu l'occasion de suivre un jour un troupeau de pécaris qu'il avait vus s'enfouir ainsi dans leur souille. Il était si triste et si fatigué qu'il avait eu envie de faire comme ces animaux. Il avait enlevé ses vêtements, et il s'était laissé glisser dans la boue fraîche, en ne laissant passer à la surface que son nez, ses yeux et sa bouche. Il passait des journées entières, couché ainsi au milieu des lentilles d'eau, des nénuphars et des œufs de grenouilles. Les gaz qui se dégageaient de l'eau croupie lui troublaient l'esprit. Parfois il se croyait encore dans sa famille à York, il entendait les voix de sa femme et de ses enfants. Ou bien il s'imaginait être un petit bébé dans un berceau, et il prenait les arbres que le vent agitait au-dessus de sa tête pour des grandes personnes penchées sur lui.

Quand il s'arrachait le soir à la boue tiède, la tête lui tournait. Il ne pouvait plus marcher qu'à quatre pattes, et il mangeait n'importe quoi le nez au sol, comme un cochon. Il ne se lavait jamais, et une croûte de terre et de crasse séchées le couvrait des pieds à la tête.

Un jour qu'il broutait une touffe de cresson dans une mare, il crut entendre de la musique. C'était comme une symphonie du ciel, des voix d'anges accompagnées par des accords de harpe. Robinson pensa qu'il était mort et qu'il entendait la musique du paradis. Mais en levant les yeux, il vit pointer une voile blanche à l'est de l'horizon. Il se précipita jusqu'au chantier de *L'Évasion* où traînaient ses outils et où il retrouva son briquet. Puis il courut vers l'eucalyptus creux, enflamma un fagot de branches sèches, et le poussa dans la gueule qu'ouvrait le tronc au ras du sol. Un torrent de fumée âcre en sortit aussitôt, mais le feu parut tarder à prendre.

D'ailleurs à quoi bon? Le navire se dirigeait droit sur l'île. Bientôt il allait jeter l'ancre à proximité de la plage, et une chaloupe allait s'en détacher. Avec des rires de fou, Robinson courait en tous sens à la recherche d'un pantalon et d'une chemise qu'il finit par retrouver sous la coque de *L'Évasion*. Puis il courut vers la plage, tout en se griffant le visage pour démêler la barbe et les cheveux qui lui faisaient un masque de bête. Le navire était tout près maintenant, et Robinson le voyait distinctement incliner gracieusement toute sa voilure vers les vagues crêtées d'écume. C'était un de ces galions espagnols qui rapportaient autrefois, à travers l'Océan, l'or, l'argent et les gemmes du Mexique. A mesure qu'il approchait, Robinson distinguait une foule brillante sur le pont. Une fête paraissait se dérouler à bord. La musique provenait d'un petit orchestre et d'un chœur d'enfants en robes blanches groupés sur le gaillard d'arrière. Des couples dansaient noblement autour d'une table chargée de vaisselle d'or et de cristal. Personne ne paraissait voir le naufragé, ni même le rivage que le navire longeait maintenant après avoir viré de bord. Robinson le suivait en courant sur la plage. Il hurlait, agitait les bras, s'arrêtait pour ramasser des galets qu'il lançait dans sa direction. Il tomba, se releva, tomba encore. Le galion arrivait maintenant au bout de la plage où commençait une région de dunes de sable. Robinson se jeta à l'eau et nagea de toutes ses forces vers le navire dont il ne voyait plus que le château arrière drapé de brocart. A l'une des fenêtres pratiquées dans l'encorbellement, une jeune fille était accoudée et souriait tristement vers lui. Robinson connaissait cette enfant, il en était sûr. Mais qui, qui était-ce? Il ouvrit la bouche pour l'appeler. L'eau salée envahit sa gorge. Ses yeux ne virent plus que de l'eau verte où fuyait une petite raie à reculons...

Une colonne de flamme le tira de son évanouissement. Comme il avait froid! Là-haut, sur la falaise, l'eucalyptus flambait comme une torche dans la nuit. Robinson se dirigea en titubant vers cette source de lumière et de chaleur.

Il passa le reste de la nuit recroquevillé dans les herbes, le visage tourné vers le tronc incandescent, et il se rapprochait du foyer à mesure que sa chaleur diminuait. Vers les premières heures de l'aube, il parvint enfin à identifier la jeune fille du galion. C'était sa propre sœur, Lucy, morte plusieurs années avant son départ. Ainsi ce bateau, ce galion — type de navire qui avait d'ailleurs disparu des mers depuis plus de deux siècles — *n'existait pas*. C'était une hallucination, un produit de son cerveau malade.

Robinson comprit enfin que les bains dans la souille et toute cette vie paresseuse qu'il menait étaient en train de le rendre fou. Le galion imaginaire était un sérieux avertissement. Il fallait se ressaisir, travailler, prendre son propre destin en main.

Il tourna le dos à la mer qui lui avait fait tant de mal en le fascinant depuis son arrivée sur l'île, et il se dirigea vers la forêt et le massif rocheux.

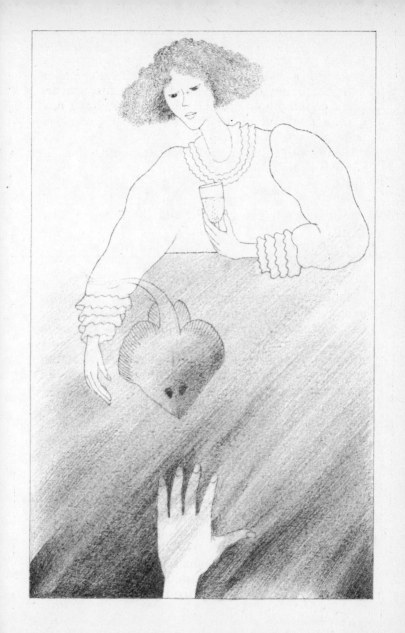

Durant les semaines qui suivirent, Robinson explora l'île méthodiquement et tâcha de repérer les sources et les abris naturels, les meilleurs emplacements pour la pêche, les coins à noix de coco, à ananas et à choux palmistes. Il établit son dépôt général dans la grotte qui s'ouvrait dans le massif rocheux du centre de l'île. Il y transporta tout ce qu'il put arracher à l'épave qui avait résisté par chance aux tempêtes des mois précédents. Après avoir entreposé les quarante tonneaux de poudre noire au plus profond de la grotte, il y rangea trois coffres de vêtements, cinq sacs de céréales, deux corbeilles de vaisselle et d'argenterie, plusieurs caisses d'objets hétéroclites — chandeliers, éperons, bijoux, loupes, lunettes, canifs, cartes marines, miroirs, dés à jouer — une malle de matériel de navigation, câbles, poulies, fanaux, lignes, flotteurs, etc., enfin un coffret de pièces d'or et de monnaies d'argent et de cuivre. Les livres qu'il trouva dans les cabines de l'épave avaient tellement été lavés par l'eau de mer et la pluie que le texte imprimé en était effacé, mais Robinson pensa qu'en faisant sécher ces pages blanches au soleil, il pourrait les utiliser pour écrire son journal, à condition de trouver un liquide pouvant tenir lieu d'encre.

Ce liquide lui fut fourni par un poisson qui pullulait alors près de la falaise du Levant, le diodon, ou poisson-hérisson. C'est un animal redoutable avec sa mâchoire puissante et les piquants venimeux qui hérissent son corps. En cas de danger, il se gonfle d'air et devient rond comme une boule, et, comme tout cet air est accumulé dans son ventre, il flotte alors sur le dos, sans paraître gêné par cette posture. En remuant avec un bâton l'un de ces poissons échoués sur le sable, Robinson avait remarqué que tout ce qui entrait en contact avec son ventre prenait une couleur rouge tenace et voyante qui pourrait lui tenir lieu d'encre. Il se hâta de tailler une plume de vautour, et il put sans attendre tracer ses premiers mots sur une feuille de papier. Il décida alors d'écrire chaque jour dans le livre le plus gros les faits principaux qui lui seraient arrivés. Sur la première page du livre, il dressa la carte géographique de l'île et il inscrivit au-dessous le nom qu'il venait de lui donner : Speranza, ce qui veut dire l'*espérance,* car il était décidé à ne plus jamais se laisser aller au désespoir.

Parmi les animaux de l'île, les plus utiles seraient à coup sûr les chèvres et les chevreaux qui s'y trouvaient en grand nombre, pourvu qu'il parvienne à les domestiquer. Or si les chevrettes se laissaient assez facilement approcher, elles se défendaient farouchement dès qu'il tentait de les traire. Il construisit donc un enclos en liant horizontalement des perches sur des piquets qu'il habilla ensuite de lianes entrelacées. Il y enferma des chevreaux très jeunes qui y attirèrent leurs mères par leurs cris. Robinson libéra ensuite les petits et attendit plusieurs jours. Alors les pis gonflés de lait commencèrent à faire souffrir les chèvres qui se laissèrent traire avec empressement.

L'examen des sacs de riz, de blé, d'orge et de maïs qu'il avait sauvés de l'épave de *La Virginie* réserva à Robinson une lourde déception. Les souris et les charençons en avaient dévoré une partie dont il ne restait plus que de la balle mélangée à des crottes. Une autre partie était gâtée par l'eau de pluie et de mer. Il fallut trier chaque céréale grain par grain, un travail de patience long et fatigant. Mais Robinson put ensemencer quelques acres de prairie qu'il avait auparavant brûlées et ensuite labourées avec une plaque de métal provenant de *La Virginie* et dans laquelle il avait pu percer un trou assez large pour y introduire un manche.

Ainsi Robinson en créant un troupeau domestique et un champ cultivé avait commencé à civiliser son île, mais ce n'était encore qu'une œuvre fragile et limitée, et il avait souvent la révélation que l'île restait une terre sauvage et hostile. C'est ainsi qu'un matin il surprit un vampire accroupi sur un chevreau qu'il était en train de vider de son sang. Les vampires sont des chauves-souris géantes pouvant atteindre jusqu'à soixante-quinze centimètres d'envergure qui s'abattent doucement la nuit sur le dos des bêtes endormies et sucent leur sang. Une autre fois alors qu'il cueillait des coquillages sur des rochers à moitié recouverts d'eau, Robinson reçut un jet d'eau en pleine figure. Un peu étourdi par le choc, il fit quelques pas, mais fut arrêté par un second jet qui l'atteignit encore au visage. Il finit par découvrir dans un trou de rocher une petite pieuvre grise qui avait l'étonnante faculté d'envoyer par sa bouche des projections d'eau avec une extraordinaire précision.

Un jour qu'il avait cassé sa bêche et laissé échapper sa meilleure chèvre laitière, Robinson céda au découragement. Il reprit le chemin de la souille. Là il ôta ses vêtements et se laissa glisser dans la boue tiède. Aussitôt les vapeurs empoisonnées de l'eau croupie où tournoyaient des nuages de moustiques l'enveloppèrent et lui firent perdre la notion du temps. Il oublia l'île avec ses vautours, ses vampires et ses pieuvres. Il se croyait redevenu un tout petit enfant chez son père qui était drapier à York ; il croyait entendre les voix de ses parents et de ses frères et sœurs. Il comprit ainsi que le danger de la paresse, du découragement et du désespoir le menaçait toujours, et qu'il devait travailler sans relâche pour y échapper.

Le maïs dépérit complètement, et les pièces de terre où Robinson l'avait semé furent à nouveau envahies par les chardons et les orties. Mais l'orge et le blé prospéraient, et il éprouvait la première joie que lui eût donnée Speranza en caressant de la main les jeunes tiges souples et tendres. Lorsque fut venu le temps de la moisson, il chercha ce qui pourrait lui tenir lieu de faucille ou de faux et ne trouva finalement qu'un vieux sabre d'abordage qui décorait la cabine du commandant et qu'il avait rapporté avec les autres épaves. Il voulut d'abord procéder méthodiquement, pas à pas, comme il avait vu faire les paysans de la campagne chez lui. Mais à manier cette arme héroïque, il fut pris par une sorte d'ardeur belliqueuse, et il avança en la faisant tournoyer au-dessus de sa tête et en poussant des rugissements furieux. Peu d'épis furent gâtés par ce traitement, mais la paille, hachée, dispersée, piétinée était inutilisable.

Ayant égrené ses épis en les battant au fléau dans une voile pliée en deux, il vanna son grain en le faisant couler d'une corbeille dans une autre, en plein air, un jour de vent vif qui faisait voltiger au loin la balle et les menus déchets. A la fin il constata avec fierté que sa récolte se montait à trente gallons de blé et à vingt gallons d'orge. Il avait préparé pour moudre son grain un mortier et un pilon — un tronc d'arbre évidé et une forte branche à l'extrémité arrondie — et le four était garni pour la première cuisson. C'est alors qu'il prit soudain la décision de ne pas faire encore de pain et de consacrer toute sa récolte au prochain ensemencement de ses terres. En se privant ainsi de pain, il croyait accomplir un acte méritoire et raisonnable. En réalité, il obéissait à un nouveau penchant, l'*avarice,* qui allait lui faire beaucoup de mal.

C'est peu après cette première récolte que Robinson eut la très grande joie de retrouver Tenn, le chien de *La Virginie.* L'animal jaillit d'un buisson en gémissant et en tordant l'échine, faisant ainsi une vraie fête à ce maître d'autrefois. Robinson ne sut jamais comment le chien avait passé tout ce temps dans l'île, ni pourquoi il n'était pas venu plus tôt à lui. La présence de ce compagnon le décida à mettre à exécution un projet qu'il avait depuis longtemps : se construire une vraie maison, et ne plus continuer à dormir dans un coin de la grotte ou au pied d'un arbre. Il situa sa maison près du grand cèdre au centre de l'île. Il creusa d'abord un fossé rectangulaire qu'il meubla d'un lit de galets recouverts eux-mêmes d'une couche de sable blanc. Sur ces fondements parfaitement secs et perméables, il éleva des murs en mettant l'un sur l'autre des troncs de palmiers. La toiture se composa d'une vannerie de roseaux sur laquelle il disposa ensuite des feuilles de figuier-caoutchouc en écailles, comme des ardoises. Il revêtit la surface extérieure des murs d'un mortier d'argile. Un dallage de pierres plates et irrégulières, assemblées comme les pièces d'un puzzle, recouvrit le sol sablonneux. Des peaux de biques et des nattes de jonc, quelques meubles en osier, la vaisselle et les fanaux sauvés de *La Virginie,* la longue-vue, le sabre et l'un des fusils suspendus au mur créèrent une atmosphère confortable et intime que Robinson n'avait plus connue depuis longtemps. Il prit même l'habitude, ayant déballé les vêtements contenus dans les coffres de *La Virginie* — et certains étaient fort beaux! — de s'habiller chaque soir pour dîner, avec habit, haut-de-chausses, chapeau, bas et souliers.

Il remarqua plus tard que le soleil n'était visible de l'intérieur de la villa qu'à certaines heures du jour et qu'il serait plus pratique pour savoir l'heure de fabriquer une sorte d'horloge qui fonctionnerait jour et nuit à l'intérieur de la maison. Après quelques tâtonnements, il confectionna une sorte de *clepsydre,* c'est-à-dire une horloge à eau, comme on en avait autrefois. C'était simplement une bonbonne de verre transparent dont il avait percé le fond d'un tout petit trou par où l'eau fuyait goutte à goutte dans un bac de cuivre posé sur le sol. La bonbonne mettait vingt-quatre heures à se vider dans le bac, et Robinson avait strié ses flancs de vingt-quatre cercles parallèles marqués chacun d'un chiffre. Ainsi le niveau du liquide donnait l'heure à tout moment. Il lui fallait aussi un calen-drier qui lui donnât le jour de la semaine, le mois de l'année et le nombre d'années passées. Il ne savait absolument pas depuis combien de temps il se trouvait dans l'île. Un an, deux ans, plus peut-être? Il décida de repartir à zéro. Il dressa devant sa maison un mât-calendrier. C'était un tronc écorcé sur lequel il faisait chaque jour une petite encoche, chaque mois une encoche plus profonde, et le douzième mois, il marquerait d'un grand l la première année de son calendrier local.

La vie suivait son cours, mais Robinson éprouvait de plus en plus le besoin de mieux organiser son emploi du temps. Il avait toujours peur de retomber dans la souille, et peut-être de devenir comme une bête. C'est très difficile de rester un homme quand personne n'est là pour vous y aider! Contre cette mauvaise pente, il ne connaissait comme remèdes que le travail, la discipline et l'exploitation de toutes les ressources de l'île.

Lorsque son calendrier eut mille jours inscrits, il décida de donner des lois à l'île de Speranza. Il revêtit un costume de cérémonie, il se plaça devant un pupitre qu'il avait imaginé et fabriqué pour pouvoir écrire debout, puis ouvrant l'un des plus beaux livres lavés qu'il avait trouvés dans *La Virginie,* il écrivit :

CHARTE DE L'ILE DE SPERANZA
COMMENCÉE LE 1000e JOUR DU CALENDRIER LOCAL

Article 1er : Robinson Crusoé, né à York, le 19 décembre 1737, est nommé gouverneur de l'île de Speranza, située dans l'océan Pacifique, entre les îles Juan Fernandez et la côte orientale du Chili. En cette qualité il a tous pouvoirs pour légiférer sur l'ensemble du territoire insulaire et de ses eaux territoriales.

Article 2 : Les habitants de l'île sont tenus de penser à haute voix.

(En effet, parce qu'il n'avait personne à qui parler, Robinson craignait de perdre l'usage de la parole. Déjà il éprouvait quand il voulait parler un embarras de la langue, comme s'il avait bu un peu trop de vin. Désormais il avait l'obligation de parler sans arrêt, aux arbres, aux pierres, aux nuages, mais bien entendu aussi aux chèvres et à Tenn.)

Article 3 : Le vendredi est jeûné.

Article 4 : Le dimanche est chômé. A dix-neuf heures, le samedi, tout travail doit cesser dans l'île, et les habitants doivent revêtir leurs meilleurs vêtements pour le dîner. Le dimanche matin à dix heures, ils se réuniront dans le temple pour la prière. (Dans ces lois, Robinson ne pouvait pas s'empêcher de faire comme si l'île avait de nombreux habitants. En effet, il lui paraissait absurde de faire des lois pour un homme seul. Et puis il se disait que peut-être, un jour, le hasard lui amènerait un ou plusieurs compagnons...)

Article 5 : Seul le gouverneur est autorisé à fumer la pipe. Mais seulement une fois par semaine, le dimanche après-midi après le déjeuner.

(Il avait découvert depuis peu l'usage et l'agrément de la pipe de porcelaine du capitaine van Deyssel. Malheureusement la provision de tabac du barillet ne durerait qu'un temps, et il s'efforçait de la prolonger autant que possible.)

Il s'accorda quelques instants de réflexion avant de déterminer les peines qui frapperaient ceux qui n'observeraient pas ces lois. Il fit quelques pas en direction de la porte qu'il ouvrit toute grande. Comme la nature était belle! Le feuillage des arbres faisait comme une mer verte que le vent agitait et qui se mêlait au loin avec la ligne bleue de l'Océan. Plus loin encore il n'y avait que le ciel absolument bleu et sans nuages. Mais non! Pas absolument bleu! Robinson sursauta en voyant du côté de la grande plage s'élever un nuage de fumée blanche. Pourtant il était bien sûr de n'avoir laissé aucun feu allumé de ce côté-là. Aurait-il des visiteurs? Il alla décrocher du mur un fusil, une poire à poudre, une bourse de balles et la longue-vue. Puis il siffla Tenn et s'enfonça dans l'épaisseur du taillis en évitant la voie directe qui menait de la grotte au rivage.

Trois longues pirogues à flotteurs et balanciers étaient tirées sur le sable sec. Une quarantaine d'hommes faisaient cercle debout autour d'un feu d'où montait un torrent de fumée lourde, épaisse et blanche. Robinson reconnut à la longue-vue des Araucans du type *costinos,* redoutables Indiens de la côte du Chili. Ce peuple avait tenu en échec les envahisseurs incas, puis il avait infligé de sanglantes défaites aux conquistadores espagnols. Petits, trapus, ils étaient vêtus d'un grossier tablier de cuir. Leur visage large aux yeux extraordinairement écartés était rendu plus bizarre encore par l'habitude qu'ils avaient de s'épiler complètement les sourcils. Ils avaient tous une chevelure noire, très longue, qu'ils secouaient fièrement à toute occasion. Robinson les connaissait par les fréquents voyages qu'il avait faits à Temuco, leur capitale. Il savait que si un nouveau conflit avec les Espagnols avait éclaté, aucun homme blanc ne trouverait grâce à leurs yeux.

Avaient-ils effectué sur leurs pirogues l'énorme traversée des côtes du Chili à Speranza? Ce n'était pas impossible à en juger par leur réputation de marins émérites. Mais il était plus probable qu'ils avaient colonisé l'une ou l'autre des îles Juan Fernandez — et Robinson pensa aussitôt qu'il avait eu de la chance de ne pas avoir été jeté entre leurs mains, car il aurait été à coup sûr réduit en esclavage, ou peut-être même massacré!

Grâce à des récits qu'il avait entendus en Araucanie, il devinait le sens de la cérémonie qui se déroulait actuellement sur le rivage. Une vieille femme, maigre et échevelée, allait et venait en chancelant au milieu du cercle formé par les hommes. Elle s'approchait du feu, y jetait une poignée de poudre, et respirait avidement la lourde fumée blanche qui s'élevait aussitôt. Puis elle se tournait vers les Indiens immobiles, et elle paraissait les passer en revue, pas à pas, s'arrêtant devant celui-ci, puis devant celui-là. Ensuite elle revenait près du foyer et le manège recommençait.

Il s'agissait d'une sorcière qu'on avait chargée de trouver parmi les Indiens lequel était responsable d'un malheur quelconque qui avait frappé la tribu — maladie, mort inexplicable, ou simplement incendie, orage, mauvaise récolte... Et tout à coup,

elle choisit en effet sa victime. Son long bras maigre se tendit vers l'un des hommes, tandis que sa bouche grande ouverte proférait des malédictions que Robinson n'entendait pas. L'Indien désigné par la sorcière se jeta à plat ventre sur le sol, secoué de grands frissons de terreur. L'un des Indiens marcha vers lui. Il leva sa machette — un grand couteau qui leur sert d'arme et d'outil à la fois — et fit d'abord voler le tablier du misérable. Puis il l'abattit sur lui à coups réguliers, détachant sa tête, puis ses bras et ses jambes. Enfin les six morceaux de la victime furent portés dans le feu dont la fumée aussitôt devint noire.

Les Indiens avaient rompu le cercle et se dirigeaient vers les embarcations. Six d'entre eux en sortirent des outres et se dirigèrent vers la forêt. Robinson s'enfonça rapidement sous les arbres sans perdre de vue les hommes qui envahissaient son domaine. S'ils venaient à découvrir des traces de sa vie dans l'île, ils pourraient se lancer à sa poursuite, et il leur échapperait difficilement. Mais heureusement le premier point d'eau se trouvait à la lisière de la forêt, et les Indiens n'eurent pas à s'enfoncer bien avant dans l'île. Ils remplirent les outres qu'ils portaient à deux, suspendues à une perche, et ils se dirigèrent vers les pirogues où leurs compagnons avaient pris place. La sorcière était accroupie sur une sorte de siège d'apparat placé à l'arrière d'un des deux bateaux.

Lorsque les pirogues eurent disparu derrière les falaises, Robinson s'approcha du bûcher. On y distinguait encore les restes de l'homme si cruellement sacrifié, parce qu'il avait été déclaré responsable de quelque calamité. Et ce fut plein de peur, de dégoût et de tristesse que Robinson regagna sa maison de gouverneur où il se remit à la rédaction des lois de Speranza.

Article 6 : L'île de Speranza est déclarée place fortifiée. Elle est placée sous le commandement du gouverneur qui prend le grade de général. Le couvre-feu est obligatoire une heure après le coucher du soleil...

Durant les mois qui suivirent, Robinson éleva autour de sa maison et de l'entrée de la grotte une enceinte à créneaux dont l'accès était lui-même défendu par un fossé de deux mètres de large et de trois mètres de profondeur. Les deux fusils et le pistolet étaient posés — chargés — sur le bord des trois créneaux du centre. En cas d'attaque, Robinson pourrait faire croire aux assaillants qu'il n'était pas le seul défenseur de la forteresse. Le sabre d'abordage et la hache étaient également à portée de la main, mais il était peu probable qu'un corps à corps se produisît, car il sema de pièges l'approche du fossé. Ce fut d'abord une série d'entonnoirs disposés en quinconce au fond desquels était planté un pieu aiguisé au feu et que recouvraient des touffes d'herbe posées sur une mince claie de joncs. Ensuite il enfouit dans le sol à l'orée de la forêt, là où logiquement d'éventuels assaillants se rassembleraient avant d'attaquer, deux tonneaux de poudre qu'un cordon d'étoupe permettait de faire exploser à distance. Enfin il fit en sorte que la passerelle qui permettait de franchir le fossé fût mobile et qu'on pût la manœuvrer de l'intérieur de la forteresse.

Chaque soir, avant de sonner le couvre-feu avec sa trompe, il faisait une ronde, accompagné de Tenn qui paraissait avoir compris le danger qui menaçait Speranza et ses habitants. Puis on procédait à la fermeture de la forteresse. Des blocs de pierre étaient roulés à des emplacements calculés afin que d'éventuels assaillants fussent obligés de se diriger vers les entonnoirs. La passerelle-pont-levis était retirée, on barricadait toutes les issues, et le couvre-feu était sonné. Alors Robinson préparait le dîner, mettait le couvert dans sa belle maison, et se retirait dans la grotte. Il en ressortait quelques minutes plus tard, lavé, parfumé, peigné, la barbe taillée, vêtu de son habit de général. Enfin à la lueur d'un candélabre hérissé de baguettes enduites de résine, il dînait lentement sous le regard passionné et attentif de Tenn.

A cette période d'activité militaire intense succédèrent des pluies abondantes. Il fallut faire de nombreuses réparations dans la maison, les chemins et les corrals endommagés par le ruissellement des eaux. Puis ce fut à nouveau la récolte des céréales. Elle fut si abondante qu'il fallut nettoyer et sécher une autre grotte non loin de la grande grotte qui commençait à déborder de grains. Cette fois, Robinson ne se refusa pas la joie de faire du pain, le premier qu'il mangeait depuis son installation dans l'île.

Cette abondance de céréales posa bientôt le problème de la lutte contre les rats. Les rongeurs en effet paraissaient se multiplier d'autant que les provisions qui pouvaient les nourrir augmentaient elles-mêmes, et, puisque Robinson avait l'intention d'entasser récolte sur récolte aussi longtemps qu'il en aurait la force, il fallait sévir contre les rongeurs.

Certains champignons rouges à pois jaunes devaient être vénéneux, car plusieurs chevreaux étaient morts après en avoir brouté des fragments mêlés à l'herbe. Robinson en tira un jus brunâtre dans lequel il fit tremper des grains de blé. Puis il répandit ces grains empoisonnés sur les passages habituels des rats. Ils s'en régalèrent et ne furent même pas malades. Il construisit alors des cages dans lesquelles la bête tombait par une trappe. Mais il aurait fallu des milliers de cages de ce genre, et puis il devait ensuite noyer les bêtes prises, et c'était horrible d'enfoncer la cage dans l'eau de la rivière et d'assister à leur agonie.

Un jour, Robinson fut témoin d'un duel furieux que se livraient deux rats. Aveugles et sourds à tout ce qui les entourait, les deux bêtes nouées roulaient sur le sol avec des piaillements rageurs. Finalement elles s'égorgèrent l'une l'autre et moururent sans desserrer leur étreinte. En comparant les deux cadavres, Robinson s'aperçut qu'ils appartenaient à deux variétés différentes de rats. L'un très noir, rond et pelé, était semblable en tous points à ceux qu'il avait eu l'habitude de voir sur tous les navires où il avait navigué. L'autre gris, plus allongé et de poil plus épais, assez semblable aux mulots des champs, se rencontrait dans les prairies de l'île. Robinson comprit bientôt que la première espèce provenait de l'épave de *La Virginie* et avait proliféré grâce aux réserves de céréales, tandis que l'autre espèce avait toujours vécu dans l'île. Les deux espèces paraissaient avoir leurs territoires et leurs ressources bien séparés. Robinson s'en aperçut en lâchant un soir dans la prairie un rat noir qu'il venait de capturer dans la grotte. Longtemps les herbes frémissantes indiquèrent seules qu'une chasse sans pitié était en train de se dérouler. Puis ce fut le sable au pied d'une dune que Robinson vit jaillir à quelque distance. Quand il arriva, il ne restait du rat noir que des touffes de poil et des lambeaux de chair.

Alors, il répandit deux sacs de grain dans la prairie après en avoir semé une mince traînée depuis la grotte jusque-là. Ce lourd sacrifice risquait d'être inutile. Il ne le fut pas. Dès la tombée de la nuit, les noirs vinrent en foule récupérer le grain qu'ils considéraient sans doute comme leur propriété. Les gris se réunirent pour repousser cette soudaine invasion. La bataille éclata. Sur toute la prairie, une tempête paraissait soulever des petits jets de sable. Les couples de lutteurs roulaient comme des boulets vivants, tandis qu'un énorme piaillement montait du sol.

L'issue du combat était prévisible. Un animal qui se bat sur le territoire de son adversaire est presque toujours vaincu. Ce jour-là, tous les rats noirs périrent.

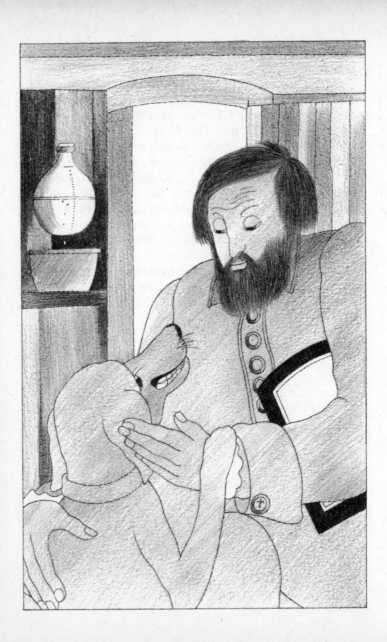

Robinson n'avait jamais été coquet et il n'aimait pas particulièrement se regarder dans les glaces. Pourtant cela ne lui était pas arrivé depuis si longtemps qu'il fut tout surpris un jour en sortant un miroir d'un des coffres de *La Virginie* de revoir son propre visage. En somme il n'avait pas tellement changé, si ce n'est peut-être que sa barbe avait allongé et que de nombreuses rides nouvelles sillonnaient son visage. Ce qui l'inquiétait tout de même, c'était l'air sérieux qu'il avait, une sorte de tristesse qui ne le quittait jamais. Il essaya de sourire. Là, il éprouva comme un choc en s'apercevant qu'il n'y arrivait pas. Il avait beau se forcer, essayer à tout prix de plisser ses yeux et de relever les bords de sa bouche, impossible, il ne savait plus sourire. Il avait l'impression maintenant d'avoir une figure en bois, un masque immobile, figé dans une expression maussade. A force de réfléchir, il finit par comprendre ce qui lui arrivait. C'était parce qu'il était seul. Depuis trop longtemps il n'avait personne à qui sourire, et il ne savait plus; quand il voulait sourire, ses muscles ne lui obéissaient pas. Et il continuait à se regarder d'un air dur et sévère dans la glace, et son cœur se serrait de tristesse. Ainsi il avait tout ce qu'il lui fallait sur cette île, de quoi boire et manger, une maison, un lit pour dormir, mais pour sourire, personne, et son visage en était comme glacé.

C'est alors que ses yeux s'abaissèrent vers Tenn. Robinson rêvait-il? *Le chien était en train de lui sourire!* D'un seul côté de sa gueule, sa lèvre noire se soulevait et découvrait une double rangée de crocs. En même temps, il inclinait drôlement la tête sur le côté, et ses yeux couleur de noisette se plissaient d'ironie. Robinson saisit à deux mains la grosse tête velue, et ses paupières se mouillèrent d'émotion, cependant qu'un tremblement imperceptible faisait bouger les commissures de ses lèvres. Tenn faisait toujours sa grimace, et Robinson le regardait passionnément pour réapprendre à sourire.

Désormais, ce fut comme un jeu entre eux. Tout à coup, Robinson interrompait son travail, ou sa chasse, ou sa promenade sur la grève, et il fixait Tenn d'une certaine façon. Et le chien lui souriait à sa manière, cependant que le visage de Robinson redevenait souple, humain et souriait peu à peu à son tour.

Robinson ne cessait d'organiser et de civiliser son île, et de jour en jour il avait davantage de travail et des obligations plus nombreuses. Le matin par exemple, il commençait par faire sa toilette, puis il lisait quelques pages de la Bible, ensuite il se mettait au garde-à-vous devant le mât où il faisait ensuite monter le drapeau anglais. Puis avait lieu l'ouverture de la forteresse. On faisait basculer la passerelle par-dessus le fossé et on dégageait les issues bouchées par les rochers. La matinée commençait par la traite des chèvres, ensuite il fallait visiter la garenne artificielle que Robinson avait établie dans une clairière sablonneuse. Là, il cultivait des navets sauvages, de la luzerne et un carré d'avoine pour retenir une famille de lièvres chiliens qui vivaient sans cela dispersés dans l'île. C'était ce qu'on appelle des *agoutis,* des lièvres hauts sur pattes, très gros et avec des oreilles courtes.

Plus tard, il vérifiait le niveau des viviers d'eau douce où prospéraient des truites et des carpes. A la fin de la matinée, il mangeait rapidement avec Tenn, faisait une petite sieste et se mettait en grand uniforme de général pour remplir les obligations officielles de l'après-midi. Il devait faire le recensement des tortues de mer qui avaient chacune leur numéro de matricule, inaugurer un pont de lianes audacieusement jeté par-dessus un ravin de cent pieds de profondeur en pleine forêt tropicale, achever la construction d'une hutte de fougères à la lisière de la forêt bordant le rivage de la baie qui serait un excellent poste d'affût pour surveiller la mer sans être vu, et une retraite d'ombre verte et fraîche pendant les heures les plus chaudes de la journée.

Souvent Robinson en avait assez de tous ces travaux et de toutes ces obligations. Il se demandait à quoi et à qui cela servait, mais aussitôt il se souvenait des dangers de l'oisiveté, de la souille des pécaris où il risquait de retomber s'il cédait à la paresse, et il se remettait activement au travail.

Dès les premiers jours, il s'était servi de la grotte du centre de l'île pour mettre à l'abri ce qu'il avait de plus précieux : ses récoltes de céréales, ses conserves de fruits et de viande, plus au fond ses coffres de vêtements, ses outils, ses armes, son or, et enfin, dans la partie la plus reculée, ses tonneaux de poudre noire qui auraient suffi à faire sauter toute l'île. Depuis longtemps, il n'avait plus besoin de chasser au fusil, mais il était content d'avoir toute cette poudre à sa disposition : ça le rassurait et ça lui donnait le sentiment de sa supériorité.

Pourtant il n'avait jamais entrepris l'exploration du fond de la grotte, et il y pensait parfois avec curiosité. Derrière les tonneaux de poudre, le tunnel se poursuivait par une sorte de boyau en pente raide où il décida un jour de s'engager pour voir jusqu'où cela le mènerait.

L'exploration présentait une difficulté majeure, celle de l'éclairage. Il ne disposait que de torches de bois résineux. Mais s'avancer dans le fond de la grotte avec une torche, c'était courir le risque de faire sauter les tonneaux, d'autant plus qu'il devait y avoir des traces de poudre par terre. Il y avait aussi le problème de la fumée qui aurait vite rendu l'air irrespirable. Il songea un moment à percer une cheminée d'aération et d'éclairage au fond de la grotte, mais la nature de la roche rendait ce projet irréalisable. Il n'y avait donc qu'une seule solution : accepter l'obscurité et tâcher de s'y habituer. Il s'enfonça donc le plus loin qu'il put avec une provision de galettes de maïs et un pichet de lait de chèvre, et il attendit.

Le calme le plus absolu régnait autour de lui. Il savait que le soleil était en train de baisser à l'horizon. Or l'ouverture de la grotte était ainsi placée qu'à un certain moment les rayons du soleil couchant se trouveraient exactement dans l'axe du tunnel. Pendant une seconde, la grotte allait être éclairée jusqu'au fond. C'est ce qui se produisit en effet, pendant la durée d'un éclair. Mais c'en était assez pour que Robinson sût que sa première journée s'achevait.

Il s'endormit, mangea une galette, dormit encore, but du lait. Et tout à coup l'éclair se produisit à nouveau. Vingt-quatre heures s'étaient écoulées, mais pour Robinson elles avaient passé comme un rêve. Il commençait à perdre la notion du temps. Les vingt-quatre heures suivantes passèrent encore plus vite, et Robinson ne savait plus s'il dormait ou s'il demeurait éveillé.

Enfin il se décida à se lever et à se diriger vers le fond de la grotte. Il n'eut pas à tâtonner long-temps pour trouver ce qu'il cherchait : l'orifice d'une cheminée verticale et fort étroite. Il fit aussi-tôt quelques tentatives pour s'y laisser glisser. Les parois du boyau étaient lisses comme de la chair, mais le trou était si étroit qu'il y demeurait prisonnier à mi-corps. Alors il eut l'idée d'enlever tous ses vêtements et de se frotter tout le corps avec le lait caillé qui restait au fond du pichet. Puis il plongea tête la première dans le goulot, et, cette fois, il glissa lentement mais régulièrement, comme une grenouille dans le gosier du serpent qui l'avale.

Il arriva mollement dans une sorte de niche tiède dont le fond avait exactement la forme de son corps accroupi. Il s'y installa, recroquevillé sur lui-même, les genoux remontés au menton, les mollets croisés, les mains posées sur les pieds. Il était si bien ainsi qu'il s'endormit aussitôt. Quand il se réveilla, quelle surprise! *L'obscurité était devenue blanche autour de lui!* Il n'y voyait toujours rien, mais il était plongé dans du blanc et non plus dans du noir! Et le trou où il était ainsi tapi était si doux, si tiède, si blanc qu'il ne pouvait s'empêcher de penser à sa maman. Il se croyait dans les bras de sa maman qui le berçait en chantonnant. Son père était un homme petit et maladif, mais sa mère était une grande femme, forte et calme, qui ne se fâchait jamais, mais qui devinait toujours la vérité rien qu'à regarder ses enfants.

Un jour qu'elle était au premier étage avec tous ses enfants et que le père était absent, le feu se déclara dans le magasin du rez-de-chaussée. La maison était très vieille et toute en bois, et le feu s'y propagea avec une vitesse effrayante. Le petit drapier était revenu en hâte, et il se lamentait et courait en tous sens dans la rue en voyant brûler sa maison avec sa femme et ses enfants. Tout à coup, il vit son épouse sortir tranquillement d'un torrent de flammes et de fumée avec tous ses enfants qu'elle portait sur ses épaules, dans ses bras, sur son dos, pendus à son tablier. C'était ainsi que

Robinson la revoyait au fond de son trou, comme un arbre pliant sous le poids de tous ses fruits. Ou alors, c'était le soir de la fête des Rois. Elle pétrissait la pâte dans laquelle était cachée la fève qui désignerait le roi de la fête le lendemain. Il semblait à Robinson que toute l'île de Speranza était un immense gâteau et qu'il était lui-même la petite fève cachée au fond de la croûte.

Il comprit qu'il fallait qu'il sorte de son trou s'il ne voulait pas y rester à tout jamais. Il s'en arracha avec peine et se hissa par le goulot. Parvenu au fond de la grotte il retrouva à tâtons ses vêtements qu'il roula en boule sous son bras sans prendre le temps de se rhabiller. Il était inquiet parce que l'obscurité blanche persistait autour de lui. Serait-il devenu aveugle? Il avançait en chancelant vers la sortie quand tout à coup la lumière du soleil le frappa en pleine figure. C'était l'heure la plus chaude de la journée, celle où même les lézards cherchent l'ombre. Pourtant Robinson grelottait de froid et serrait l'une contre l'autre ses cuisses encore mouillées de lait caillé. Il se sauva vers sa maison, la figure cachée dans ses mains. Tenn gambadait autour de lui, tout heureux de l'avoir retrouvé, mais déconcerté de le voir si nu et si faible.

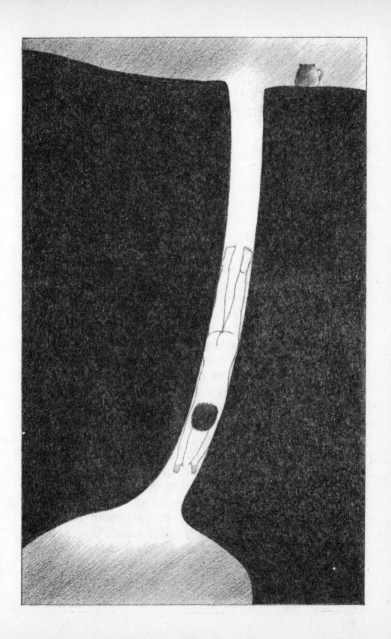

Robinson redescendit plus d'une fois dans le trou de la grotte pour y retrouver la paix merveilleuse de son enfance. Il avait pris l'habitude d'arrêter chaque fois la clepsydre, parce qu'il n'y avait plus d'heure, ni d'emploi du temps au fond de la grotte. Mais il était troublé, et il se demandait si ce n'était pas la paresse qui l'y attirait, comme autrefois elle l'avait fait descendre dans la souille.

Pour se changer les idées, il décida de mettre en culture les sacs de riz qu'il conservait depuis le premier jour. C'est qu'il avait toujours reculé devant le travail formidable que représente l'installation d'une rizière. En effet le riz doit pouvoir pousser *sous l'eau,* et le niveau de l'eau doit toujours pouvoir être contrôlé et au besoin modifié. Il fut donc obligé de barrer le cours d'une rivière en deux endroits, une fois en aval pour inonder une prairie, une seconde fois en amont avec une voie de dérivation afin de pouvoir suspendre l'arrivée de l'eau et provoquer l'assèchement de la prairie. Mais il fallut aussi faire des digues, construire deux vannes qui pouvaient être ouvertes ou fermées à volonté, et dans dix mois, si tout allait bien, la récolte et le décorticage du riz exigeraient des journées de travail acharné.

Aussi lorsque sa rizière fut terminée et son riz semé et recouvert par une nappe d'eau, Robinson se demanda une fois de plus pourquoi il s'imposait tous ces efforts. S'il n'avait pas été seul, s'il avait eu seulement une femme et des enfants, ou même un seul compagnon, il aurait su pourquoi il travaillait. Mais sa solitude rendait toute sa peine inutile.

Alors les larmes aux yeux, il redescendit au fond de la grotte...

Il y resta si longtemps cette fois-ci qu'il faillit bien être trop faible pour en remonter, et mourir ainsi tout au fond de son trou. Il chercha donc un moyen de se donner du courage pour vivre comme un homme et faire tout ce travail qui l'ennuyait tellement.

Il se souvint que son père lui faisait lire les *Almanachs* de Benjamin Franklin, un philosophe, un savant et un homme d'État américain de ce temps-là. Dans ces almanachs, Benjamin Franklin donne des préceptes moraux qui justifient les hommes qui travaillent et qui gagnent de l'argent. Robinson pensa qu'en inscrivant ces préceptes dans toute l'île de façon à les avoir toujours sous les yeux, il ne se découragerait plus et céderait moins souvent à la paresse. Par exemple, il coupa autant de petits rondins qu'il en fallait pour former dans le sable des dunes de l'île des lettres composant la phrase suivante :

« La pauvreté prive un homme de toute vertu : il est difficile à un sac vide de se tenir debout. »

Dans la paroi de la grotte il avait incrusté des

petites pierres formant ainsi une sorte de mosaïque qui disait :

« Si le second vice est de mentir, le premier est de s'endetter, car le mensonge monte à cheval sur la dette. »

Des bûchettes de pin enveloppées d'étoupe étaient posées sur un lit de pierres, toutes prêtes à être enflammées, et elles disaient dans leur arrangement :

« Si les coquins savaient tous les avantages de la vertu, ils deviendraient vertueux par coquinerie. »

Il y avait enfin une devise plus longue que les autres — elle avait cent quarante-deux lettres — et Robinson avait eu l'idée de tondre chacune de ces lettres sur le dos d'une chèvre de son corral, de façon que par hasard, quelquefois, les chèvres en remuant forment l'ordre des cent quarante-deux lettres et fassent sortir la devise. Cette devise était la suivante :

« Celui qui tue une truie anéantit toutes les truies qu'elle aurait pu faire naître jusqu'à la millième génération. Celui qui dépense une seule pièce de cinq shillings assassine des monceaux de pièces d'or. »

Robinson allait se mettre au travail, quand il tressaillit tout à coup de surprise et de peur : un mince filet de fumée blanche s'élevait dans le ciel bleu! Il provenait du même endroit que la première fois, mais maintenant toutes les inscriptions dont Robinson avait semé l'île n'allaient-elles pas le faire repérer par les Indiens? En courant vers sa forteresse suivi de Tenn, il maudissait l'idée qu'il avait eue. Et puis il y eut un incident un peu ridicule qui lui parut être un mauvais signe : apeuré par cette cavalcade inattendue, un de ses boucs les plus familiers le chargea brutalement, tête baissée. Robinson l'évita de justesse, mais Tenn roula en hurlant, projeté comme une balle dans un massif de fougères.

Dès que Robinson se fut enfermé avec Tenn dans la forteresse après avoir mis les blocs de rocher en place et avoir retiré la passerelle, il commença à se demander si sa conduite était bien raisonnable. Car si les Indiens avaient repéré sa présence et décidé de prendre la forteresse d'assaut, ils auraient non seulement l'avantage du nombre, mais aussi celui de la surprise. En revanche, s'ils ne se souciaient pas de lui, tout absorbés dans leurs rites meurtriers, quel soulagement pour Robinson! Il voulut en avoir le cœur net. Toujours suivi de Tenn qui boitait, il empoigna l'un des fusils, glissa le pistolet dans sa ceinture, et s'enfonça sous les arbres en direction du rivage. Il fut obligé cependant de revenir sur ses pas, ayant oublié la longue-vue dont il pourrait avoir besoin.

Il y avait cette fois trois pirogues à balanciers, posées parallèlement sur le sable. Le cercle des hommes autour du feu était d'ailleurs plus vaste que la première fois, et Robinson, en les examinant à la longue-vue, crut remarquer qu'il ne s'agissait pas du même groupe. Un malheureux avait déjà été coupé à coups de machette, et deux guerriers revenaient du bûcher où ils avaient jeté ses morceaux. C'est alors qu'eut lieu un rebondissement sans doute inattendu dans ce genre de cérémonie. La sorcière qui était accroupie sur le sol se releva tout à coup, courut vers l'un des hommes, et, tendant vers lui son bras maigre, elle ouvrit la bouche toute grande pour proférer un flot de malédictions que Robinson devinait sans pouvoir les entendre. Ainsi il y aurait une seconde victime ce jour-là! Visiblement les hommes hésitaient.

Finalement l'un d'eux se dirigea, une machette à la main, vers le coupable désigné que ses deux voisins avaient soulevé et projeté sur le sol. La machette s'abattit une première fois, et le pagne de cuir vola en l'air. Elle allait retomber sur le corps nu, quand le malheureux bondit sur ses pieds et s'élança en avant vers la forêt. Dans la longue-vue de Robinson, il paraissait sauter sur place, poursuivi par deux Indiens. En réalité, il courait droit vers Robinson avec une rapidité extraordinaire. Pas plus grand que les autres, il était beaucoup plus mince et taillé vraiment pour la course. Il paraissait de peau plus sombre et ressemblait plus à un nègre qu'à un Indien. C'était peut-être cela qui l'avait fait désigner comme coupable, parce que dans un groupe d'hommes, celui qui ne ressemble pas aux autres est toujours détesté.

Cependant, il approchait de seconde en seconde, et son avance sur ses deux poursuivants ne cessait de croître. Robinson était certain qu'on ne pouvait le voir de la plage, sinon il aurait pu croire que l'Indien l'avait aperçu et venait se réfugier auprès de lui. Il fallait prendre une décision. Dans quelques instants les trois Indiens allaient se trouver nez à nez avec lui, et ils allaient peut-être se réconcilier en le prenant comme victime! C'est le moment que choisit Tenn pour aboyer furieusement dans la direction de la plage. Maudite bête! Robinson se rua sur le chien et, lui passant le bras autour du cou, il lui serra le museau dans sa main gauche, tandis qu'il épaulait tant bien que mal son fusil d'une seule main. Il visa au milieu de la poitrine le premier poursuivant qui n'était plus qu'à trente mètres et pressa la détente. Au moment où le coup partait, Tenn fit un brusque effort pour se libérer. Le fusil dévia et à la grande surprise de Robinson, ce fut le second poursuivant qui effectua un vaste plongeon et s'étala dans le sable. L'Indien qui le précédait s'arrêta, rejoignit le corps de son camarade sur lequel il se pencha, se releva, inspecta le rideau d'arbres où s'achevait la plage, et, finalement, s'enfuit à toutes jambes vers le cercle des autres Indiens.

A quelques mètres de là, dans un massif de palmiers nains, l'Indien rescapé inclinait son front jusqu'au sol et cherchait à tâtons de la main le pied de Robinson pour le poser en signe de soumission sur sa nuque.

Robinson et l'Indien passèrent la nuit derrière les créneaux de la forteresse, l'oreille tendue vers tous les bruits nocturnes de la forêt. Toutes les deux heures, Robinson envoyait Tenn en reconnaissance avec mission d'aboyer s'il rencontrait une présence humaine. Chaque fois il revint sans avoir donné l'alerte. L'Indien qui serrait autour de ses reins un vieux pantalon de marin que Robinson lui avait fait enfiler était abattu, sans ressort, comme abasourdi par son horrible aventure, et aussi par l'étonnante construction où il se trouvait transporté. Il avait laissé intacte la galette de blé que Robinson lui avait donnée, et il mâchait sans cesse des fèves sauvages dont Robinson se demandait où il avait bien pu les trouver. Un peu avant le lever du jour, il s'endormit sur un tas de feuilles sèches en tenant serré contre lui le chien, lui aussi assoupi. Robinson connaissait l'habitude de certains Indiens chiliens d'utiliser un animal domestique comme une couverture vivante pour se protéger du froid de la nuit. Pourtant il fut surpris de la patience de Tenn, d'un naturel habituellement assez farouche.

Peut-être les Indiens attendaient-ils le jour pour attaquer? Robinson armé du pistolet, des deux fusils et de tout ce qu'il pouvait transporter de poudre et de balles se glissa hors de l'enceinte et gagna le rivage en faisant un vaste crochet par les dunes.

La plage était déserte. Les trois pirogues et leurs occupants avaient disparu. Le cadavre de l'Indien abattu la veille d'un coup de fusil avait été enlevé. Il ne restait que le cercle noir du feu magique où les ossements se mêlaient aux souches calcinées. Robinson posa sur le sable ses armes et ses munitions avec un sentiment d'immense soulagement. Un grand rire le secoua, nerveux, fou, inextinguible. Lorsqu'il s'arrêta pour reprendre son souffle, il pensa que c'était la première fois qu'il riait depuis le naufrage de *La Virginie*. Peut-être pouvait-il rire à nouveau parce qu'il avait enfin un compagnon? Mais il se mit à courir tout à coup parce qu'une idée lui était venue : *L'Évasion!* Il avait toujours évité de revenir sur l'emplacement du chantier où il avait eu une si grande déception. Pourtant le petit bateau devait toujours être là et attendre que des bras assez forts le poussent vers la plage! Peut-être l'Indien allait-il pouvoir aider Robinson à mettre *L'Évasion* à flot et, alors, sa connaissance des îles serait très précieuse.

En approchant de la forteresse, Robinson aperçut l'Indien qui jouait tout nu avec Tenn. Il fut fâché de l'impudeur du sauvage, et aussi de l'amitié qui paraissait être née entre le chien et lui. Après lui avoir fait remettre son pantalon trop grand, il l'entraîna vers *L'Évasion*.

Les genêts avaient tout envahi, et le petit bateau

paraissait flotter sur une mer de fleurs jaunes. Le mât était tombé, et les planches du pont se soulevaient par endroits, sans doute sous l'effet de l'humidité, mais la coque paraissait encore entière. Tenn qui précédait les deux hommes fit plusieurs fois le tour du bateau. Puis, d'un coup de rein, il sauta sur le pont qui s'effondra aussitôt sous son poids. Robinson le vit disparaître dans la cale avec un hurlement de peur. Quand il arriva près du bateau, le pont tombait par morceaux entiers chaque fois que Tenn faisait un effort pour sortir de sa prison. L'Indien posa la main sur le bord de la coque, il la referma et l'ouvrit à nouveau sous les yeux de Robinson : elle était pleine d'une sciure rouge qui s'envola dans le vent. Il éclata de rire. A son tour Robinson donna un léger coup de pied dans la coque : un nuage de poussière s'éleva dans l'air tandis qu'un large trou s'ouvrait dans le flanc du bateau. Les termites avaient complètement rongé *L'Évasion*. Il n'y avait plus rien à faire.

Robinson s'était longtemps demandé comment il appellerait l'Indien. Il ne voulait pas lui donner un nom chrétien aussi longtemps qu'il ne serait pas baptisé. Il décida finalement de lui donner le nom du jour où il l'avait recueilli. C'est ainsi que le second habitant de l'île s'appela *Vendredi*.

Quelques mois plus tard, Vendredi avait appris assez d'anglais pour comprendre les ordres de son maître. Il savait aussi défricher, labourer, semer, herser, repiquer, sarcler, faucher, moissonner, battre, moudre, pétrir et cuire le pain. Il savait traire les chèvres, faire du fromage, ramasser les œufs de tortue, en faire une omelette, raccommoder les vêtements de Robinson et cirer ses bottes. C'était devenu un serviteur modèle. Le soir, il endossait une livrée de laquais et assurait le service du dîner du gouverneur. Puis il bassinait son lit avec une boîte en fer remplie de braises. Enfin il allait s'étendre sur une litière qu'il tirait contre la porte de la maison et qu'il partageait avec Tenn.

Robinson, lui, était content parce qu'il avait enfin quelqu'un à faire travailler, et à qui il pouvait tout enseigner de la civilisation. Vendredi savait maintenant que tout ce que son maître lui ordonnait était bien, que tout ce qu'il lui défendait était mal. Il est mal de manger plus que la portion prévue par Robinson. Il est mal de fumer la pipe, de se promener tout nu et de se cacher pour dormir quand il y a du travail. Vendredi avait appris à être soldat quand son maître était général, enfant de chœur quand il priait, maçon quand il construisait, porteur quand il voyageait, rabatteur quand il chassait, et à balancer le chasse-mouches au-dessus de sa tête quand il dormait.

Robinson avait une autre raison d'être content. Il savait maintenant que faire de l'or et des pièces de monnaie qu'il avait sauvées de l'épave de *La Virginie*. Il payait Vendredi. Un demi-souverain d'or par mois. Avec cet argent, Vendredi achetait de la nourriture en supplément, des petits objets d'usage courant venant aussi de *La Virginie,* ou tout simplement une demi-journée de repos — la journée entière ne pouvait être achetée. Il s'était fait un hamac entre deux arbres où il passait tout son temps libre.

Le dimanche était naturellement le plus beau jour de la semaine. Le matin, le gouverneur se faisait apporter par son serviteur une sorte de canne qui ressemblait à la fois au sceptre d'un roi et à la crosse d'un évêque, et, abrité sous une ombrelle en peau de chèvre que Vendredi portait derrière lui, il marchait majestueusement dans toute l'île, inspectant ses champs, ses rizières et ses vergers, ses troupeaux et ses constructions en cours. Il félicitait ou blâmait, donnait des ordres pour la semaine prochaine, faisait des projets pour les années à venir. Puis c'était le déjeuner, plus long et plus succulent qu'en semaine. L'après-midi, Vendredi nettoyait et embellissait Speranza. Il désherbait les chemins, semait des graines de fleurs devant la maison, taillait les arbres d'agrément.

Vendredi avait su s'attirer la bienveillance de son maître par plusieurs bonnes idées. L'un des grands soucis de Robinson était de se débarrasser des ordures et détritus de la cuisine et de l'atelier sans attirer les vautours, ni les rats. Or il ne savait comment faire. Les petits carnivores déterraient tout ce qu'il enfouissait sous la terre, les marées rejetaient sur la plage tout ce qu'il jetait dans la mer; quant au feu, il provoquait une fumée nauséabonde qui empestait la maison et les vêtements.

Vendredi avait eu l'idée de mettre à profit la voracité d'une colonie de grosses fourmis rouges qu'il avait découverte à proximité de la maison. Tous les rebuts déposés au milieu de la fourmilière étaient dévorés en un rien de temps, et les os apparaissaient rapidement nus, secs et parfaitement nettoyés de toute chair.

Vendredi apprit aussi à Robinson à se servir de *bolas*. Les bolas, très répandues en Amérique du Sud, sont une arme formée de trois galets ronds attachés à des cordelettes réunies en étoiles. Lancées adroitement, elles tournoient comme des étoiles à trois branches, et dès qu'elles sont arrêtées par un obstacle, elles l'entourent et le ligotent solidement.

Vendredi lançait des bolas dans les jambes des chèvres qu'il voulait immobiliser pour les soigner, les traire ou les sacrifier. Puis il montra à Robinson qu'elles pouvaient aussi servir pour capturer des chevreuils, et même des oiseaux échassiers. Enfin il le persuada qu'en augmentant la grosseur des galets, on pouvait se servir des bolas comme d'une arme terrible, capable de défoncer la poitrine d'un ennemi après l'avoir à demi étranglé. Robinson qui craignait toujours un retour offensif des Indiens lui fut reconnaissant d'avoir ajouté à son arsenal cette arme silencieuse, facile à remplacer, et cependant meurtrière. Ils s'exercèrent longtemps sur la grève en prenant pour cible un tronc d'arbre de la grosseur d'un homme.

Enfin l'Indien eut l'idée de fabriquer pour Robinson et lui une pirogue, semblable à celles de son pays. Il commença à creuser à la hache le tronc d'un pin très droit et de grande envergure. Travail lent et patient qui ne ressemblait pas à la hâte fiévreuse dans laquelle Robinson avait construit *L'Évasion*. D'ailleurs, encore vexé par son échec, Robinson ne se mêlait de rien et se contentait de regarder travailler son compagnon. Vendredi avait commencé à faire du feu sous la partie du tronc qu'il voulait creuser, procédé qui avait l'avantage de hâter considérablement le travail, mais qui risquait, si l'arbre prenait feu, de tout compromettre. Finalement il y renonça et se servit même d'un simple canif pour parachever le travail.

Lorsqu'elle fut terminée, la pirogue était assez légère pour que Vendredi puisse l'élever à bout de bras au-dessus de sa tête, et c'est ainsi, les épaules couvertes comme par un capuchon de bois qu'il descendit vers la plage, entouré par les gambades de Tenn, et suivi de loin par un Robinson de mauvaise humeur. Mais lorsque le petit bateau commença à danser sur les vagues, Robinson fut bien obligé de renoncer à sa jalousie, et, prenant place derrière Vendredi, il saisit l'une des deux pagaies simples que l'Indien avait taillées dans des branches d'araucaria. Puis ils firent pour la première fois le tour de l'île par mer, accompagnés de loin par Tenn qui galopait en aboyant le long du rivage.

Tout allait bien en apparence. L'île prospérait au soleil, avec ses cultures, ses troupeaux, ses vergers, et les maisons qui s'édifiaient de semaine en semaine. Vendredi travaillait dur, et Robinson régnait en maître. Tenn qui vieillissait faisait des siestes de plus en plus longues.

La vérité, c'est qu'ils s'ennuyaient tous les trois. Vendredi était docile par reconnaissance. Il voulait faire plaisir à Robinson qui lui avait sauvé la vie. Mais il ne comprenait rien à toute cette organisation, à ces codes, à ces cérémonies, et même la raison d'être des champs cultivés, des bêtes domestiquées et des maisons lui échappait complètement. Robinson avait beau lui expliquer que c'était comme cela en Europe dans les pays civilisés, il ne voyait pas pourquoi il fallait faire la même chose sur l'île déserte du Pacifique. De son côté Robinson voyait bien que Vendredi n'approuvait pas du fond du cœur cette île trop bien administrée qui était l'œuvre de sa vie. Certes Vendredi faisait de son mieux. Mais dès qu'il avait un moment de liberté, il ne faisait que des bêtises.

Par exemple, il se conduisait à l'égard des ani-

maux d'une façon tout à fait incompréhensible.
Pour Robinson, les animaux étaient soit utiles, soit
nuisibles. Les utiles devaient être protégés pour
qu'ils se multiplient. Quant aux nuisibles, il fallait
les détruire de la façon la plus expéditive. Impossible de faire comprendre cela à Vendredi! Tantôt
il se prenait d'une amitié passionnée et absurde
pour n'importe quel animal — utile ou nuisible. Tantôt il accomplissait sur des animaux des actes d'une
cruauté monstrueuse.

C'est ainsi qu'il avait entrepris d'élever et d'apprivoiser un couple de rats! Même Tenn avait
compris qu'il devait laisser en paix ces horribles
bêtes parce que Vendredi les avait prises sous sa
protection. Robinson eut bien du mal à s'en débarrasser. Un jour il les emporta dans la pirogue et les
jeta à la mer. Les rats revinrent au rivage à la nage
et de là regagnèrent la maison. Robinson recommença, mais cette fois en employant une ruse qui
réussit parfaitement. Il emporta avec les rats une
planche bien sèche. Il mit les rats sur la planche,
et la planche dans la mer. Les rats cramponnés à
ce petit bateau improvisé n'osaient pas se jeter
à l'eau pour revenir à la plage, et le courant
les emporta au large. Vendredi ne dit rien, mais
Robinson vit bien qu'il savait. Comme si Tenn qui
avait tout vu lui avait raconté ce qui s'était passé!

Un autre jour, Vendredi disparut pendant plusieurs heures. Robinson allait partir à sa recherche,
quand il vit une colonne de fumée qui s'élevait derrière les arbres du côté de la plage. Il n'était pas
défendu d'allumer des feux sur l'île, mais le règlement voulait qu'on prévînt le gouverneur en précisant le lieu et l'heure qu'on avait choisis. C'était
pour éviter toute confusion avec le feu rituel des
Indiens qui pouvaient toujours revenir. Si Vendredi

avait négligé de prévenir Robinson, c'était sans doute que ce qu'il était en train de faire n'avait aucune chance de lui plaire.

Robinson se leva en soupirant et se dirigea vers la plage après avoir sifflé Tenn.

Il ne comprit pas tout de suite le curieux travail auquel se livrait Vendredi. Sur un tapis de cendres brûlantes, il avait posé une grosse tortue qu'il avait fait basculer sur le dos. La tortue n'était pas morte, et elle battait furieusement l'air de ses quatre pattes. Robinson crut même entendre comme une toux un peu rauque qui devait être sa façon de crier. Faire crier une tortue! Fallait-il que l'Indien eût le diable au corps! Quant au but de cette horrible opération, il le comprit en voyant la carapace de la tortue se redresser, devenir presque plate et naturellement se détacher du corps de la tortue. Pendant ce temps, Vendredi avec un couteau coupait à l'intérieur les parties qui restaient encore collées à la carapace. Tout à coup, la tortue roula sur le côté en laissant sa carapace par terre. Elle retomba sur ses pattes et se mit à galoper vers la mer, suivie par Tenn qui courait derrière en aboyant. Puis elle s'enfonça dans les vagues.

— Elle a tort, dit tranquillement Vendredi, demain les crabes l'auront mangée!

Puis il se mit à frotter avec du sable l'intérieur de la carapace qui formait comme un grand plateau un peu incurvé.

— C'est un bouclier, expliqua-t-il à Robinson. C'est comme cela qu'on les fait dans mon pays. Aucune flèche ne peut le percer, et même les grosses bolas rebondissent dessus sans le casser!

Robinson en voulait beaucoup à Vendredi de la cruauté qu'il avait montrée dans cette affaire de bouclier. Mais un peu plus tard, il eut l'occasion de

74

voir à quel point Vendredi pouvait être gentil et dévoué envers une bête quand il l'avait adoptée.

Malheureusement il s'agissait cette fois d'un petit vautour que ses parents avaient abandonné. C'était une horrible petite bête, avec sa grosse tête aux yeux exorbités, ses lourdes pattes maladroites, et ce petit corps tout nu et tordu comme celui d'un infirme. Il ouvrait largement son énorme bec et le tendait en piaillant chaque fois qu'on s'approchait de lui.

Vendredi commença par lui donner des morceaux de viande fraîche qu'il avalait avec avidité. Mais bientôt le petit vautour donna des signes de maladie. Il dormait toute la journée, et sous son maigre duvet son gésier saillait comme une boule dure. En vérité, il ne pouvait pas digérer cette viande trop fraîche. Il fallait trouver autre chose. Alors Vendredi laissa des boyaux de chèvres pourrir au soleil. Bientôt on vit des asticots blancs et gras qui grouillaient dans la viande nauséabonde. Vendredi les recueillit avec un coquillage. Puis il les mit dans sa bouche et les mâcha longtemps. Enfin il laissa couler dans le bec du petit vautour la bouillie blanche et épaisse qui résultait de cette mastication.

— Les vers vivants trop frais, expliqua-t-il. L'oiseau malade. Alors il faut mâcher, mâcher. Toujours mâcher pour les petits oiseaux.

Robinson qui le voyait faire en eut l'estomac soulevé de dégoût, et il se sauva pour ne pas vomir. Mais au fond, il admirait les sacrifices que pouvait faire Vendredi quand il avait décidé d'aider un animal [1].

1. Il est vrai que pour nourrir un petit oiseau tombé du nid, il faut bien mâcher soi-même tout ce qu'on lui donne. Mais bien sûr on n'est pas obligé de prendre des asticots. De la viande, du jambon ou de l'œuf dur font très bien l'affaire.

Depuis l'arrivée de Vendredi, Robinson n'était pas retourné au fond de la grotte. Il espérait que grâce à son nouveau compagnon la vie dans l'île, le travail et les cérémonies l'amuseraient suffisamment pour qu'il n'ait plus envie de cette sorte de drogue.

Or, une nuit de pleine lune, il s'éveilla et n'arriva plus à se rendormir. Dehors, il n'y avait pas un souffle de vent et les arbres parfaitement immobiles paraissaient dormir, comme Vendredi et Tenn enlacés à leur habitude devant la porte. Robinson fut envahi par un sentiment de très grand bonheur. En effet, parce qu'il faisait nuit, il n'y avait pas de travail possible, pas de cérémonies, pas d'uniformes, pas de gouverneur, ni de général, bref c'était les vacances. Robinson aurait voulu que la nuit ne finît jamais, que les vacances durent toujours. Mais il savait que le jour allait revenir, et avec lui tous ses soucis et toutes ses obligations. Alors il se leva, et il alla arrêter la clepsydre; puis il ouvrit la porte, il enjamba les corps de Vendredi et de Tenn, et il se dirigea vers la grotte au fond de laquelle justement la nuit ne finissait jamais, le rêve durait toujours.

Le lendemain matin, Vendredi fut bien surpris de ne pas retrouver Robinson. Il avait dormi deux heures de plus parce que son maître ne l'avait pas réveillé, et il se sentait de très bonne humeur. Que faire? Il y avait bien les choux à arroser, les chèvres à traire et une petite cabane d'observation à terminer au sommet du cèdre géant de la grotte. Mais, puisque Robinson n'était pas là, toutes ces obligations d'homme blanc disparaissaient et Vendredi n'obéissait plus qu'à son cœur d'Indien. Son regard rencontra sous la table de Robinson un coffre fermé — mais non verrouillé — dont il avait pu explorer le contenu. Il le traîna sur les dalles et le hissa sur son épaule. Puis il sortit suivi par Tenn.

Au nord-ouest de l'île, à l'endroit où la grande prairie se perdait dans les sables, fleurissait une plantation de cactus et de cactées qui avaient des formes et les silhouettes les plus bizarres. On aurait dit un cortège de mannequins de caoutchouc vert hérissés de piquants avec des boules, des raquettes, des queues, des trompes.

Vendredi lança sur le sol le coffre qui lui avait meurtri l'épaule. Les charnières du couvercle sautèrent, et un brillant désordre d'étoffes précieuses et de bijoux se répandit au pied des cactus. Ces vêtements, Vendredi n'aurait pas songé à s'en vêtir lui-même. Mais il trouva amusant d'en habiller les cactus qui avaient tous des formes vaguement humaines. Alors pendant plus d'une heure il disposa sur ces drôles de plantes, grandes comme des hommes, des capes, des châles, des chapeaux, il leur enfila des robes, des pantalons, des gants, ils les couvrit enfin de bracelets, de colliers, de boucles d'oreilles, de diadèmes, et il trouva même au fond du coffre des ombrelles, des faces-à-main et des éventails qu'il leur distribua pour compléter l'illusion. Puis il contempla son œuvre, cette foule de grandes dames, de prélats, de majordomes et de monstres biscornus qui avaient l'air dans leurs somptueux atours de se contorsionner, de se faire des révérences, de danser un ballet fantastique et immobile. Il rit très fort et imita ces bonshommes et ces bonnes femmes absurdes en gesticulant et en sautant sur place, tandis que Tenn gambadait et jappait joyeusement autour de lui. Puis il tourna le dos aux cactus et aux cactées habillés, et il se dirigea vers les dunes qui le séparaient de la plage.

Il faisait un temps magnifique, et Vendredi chantait de bonheur en courant sur le sable blanc et pur de la plage. Comme il était beau, nu et joyeux, seul avec le soleil et son chien, libre de faire ce qu'il voulait, loin de l'ennuyeux Robinson! Il ramassait des galets mauves, bleus ou tachetés, bien plus jolis dans leur vérité et leur simplicité que les gros bijoux compliqués qu'il avait accrochés aux cactus. Il les lançait à Tenn qui courait après en aboyant et les lui rapportait. Puis il lui lança, dans la mer cette fois, des morceaux de bois, et le chien se précipitait dans les vagues, il battait l'eau de ses quatre pattes, et il revenait vers Vendredi, porté par le déferlement.

Ils arrivèrent ainsi près de la rizière qui brillait au soleil comme un miroir d'eau. Vendredi ramassa une pierre plate et la lança au ras de l'eau pour faire des ricochets. La pierre rebondit sept fois sur l'eau avant de s'y enfoncer sans éclaboussures. Ce que Vendredi n'avait pas prévu, c'est que Tenn s'élança à nouveau pour aller chercher la pierre.

Son élan l'emporta à une vingtaine de mètres, mais là il s'arrêta : l'eau était trop peu profonde pour qu'il puisse nager, et il pataugeait dans la vase. Il fit demi-tour et s'efforça de revenir vers l'Indien. Un premier bond l'arracha à la boue, mais il retomba lourdement et il commença à se débattre avec des mouvements affolés. Il était en train de se noyer. Vendredi se pencha vers l'eau sale et dangereuse. Allait-il y sauter pour sauver Tenn? Il eut une autre idée. Il courut à la vanne qui servait à vider l'eau. Il passa un bâton dans le premier trou de la queue et fit levier de toutes ses forces. Aussitôt l'eau commença à bouillonner de l'autre côté de la vanne, tandis que le niveau de la rizière baissait rapidement. Quelques minutes plus tard toute la rizière était à sec. La récolte était perdue, mais Tenn pouvait atteindre en rampant le pied de la digue.

Vendredi le laissa à sa toilette et se dirigea en dansant vers la forêt.

Lorsque Robinson sortit de la grotte où il était resté près de trente-six heures, il ne fut pas très surpris de ne plus retrouver Vendredi. Seul Tenn l'attendait fidèlement sur le seuil de la porte de la maison. Il avait d'ailleurs l'air gêné et coupable, ce pauvre Tenn, et c'est lui qui conduisit Robinson d'abord dans la plantation des cactus et des cactées où s'étalaient les plus beaux vêtements et tous les bijoux qui venaient de *La Virginie,* puis à la rizière où la récolte de l'année achevait de se dessécher au soleil. Robinson entra dans une grande colère. A tout hasard, il ferma la vanne d'évacuation de la rizière et ouvrit le canal d'alimentation. Peut-être les plants de riz voudraient-ils reprendre? Ensuite il passa toute une journée à ramasser sur les cactus et les cactées en se piquant cruellement les doigts les vêtements et les bijoux qui étaient ce qu'il possédait de plus beau dans l'île. Il était d'autant plus furieux qu'il se sentait lui-même un peu coupable :

s'il n'était pas descendu dans la grotte, tout cela ne serait pas arrivé.

Le lendemain, il se décida à partir à la recherche de Vendredi. Sa colère s'était calmée et l'absence de son compagnon commençait à l'inquiéter. Il entreprit donc de battre la forêt vierge avec l'aide de Tenn. Le chien qui avait bien compris qu'il fallait retrouver Vendredi fouillait les buissons, se glissait dans les fourrés, suivait des pistes dont l'odeur ressemblait à celle de Vendredi, et il aboyait pour prévenir Robinson quand il avait trouvé quelque chose. C'est ainsi qu'il découvrit dans une petite clairière ce qui devait être le camp secret de Vendredi. Il y avait d'abord entre deux arbres un hamac de lianes rembourré avec un oreiller et un matelas d'herbes sèches. C'était un lit suspendu, de toute évidence *très* confortable. Puis assis sur une espèce de fauteuil fait de branches d'arbre ligaturées, on découvrait une drôle de poupée en paille tressée avec une tête de bois et des cheveux longs en raphia. Ainsi Vendredi pour n'être pas tout seul s'était fabriqué une fiancée! Enfin Robinson vit, suspendus près du hamac à portée de la main de celui qui y était couché, un tas de petits objets à la fois utiles et amusants dont l'Indien devait agrémenter ses siestes. Il y avait ainsi une flûte en roseau, une sarbacane, des coiffes de plumes comme celles des Peaux-Rouges d'Amérique du Nord, des fléchettes, des peaux de serpent séchées, une espèce de petite guitare, etc. Robinson était stupéfait et jaloux de voir comme Vendredi avait l'air d'être heureux et de s'amuser sans lui! A quoi donc servaient tous les travaux et toutes les obligations qu'il s'imposait chaque jour?

Vendredi ne pouvait plus être loin. Tout à coup, Tenn tomba en arrêt devant un massif de magnolias envahi par le lierre, puis avança pas à pas, les oreilles dressées, le cou tendu. Enfin il s'arrêta, le nez contre l'un des troncs. Alors le tronc s'agita et le rire de Vendredi éclata. L'Indien avait dissimulé sa tête sous un casque de feuilles et de fleurs. Sur tout son corps, il avait dessiné avec du jus de geni-papo — une plante qui donne une teinture verte quand on casse une de ses tiges — des rameaux et des feuilles qui montaient en s'enroulant le long de ses cuisses et de son torse. Ainsi déguisé en homme-plante et toujours riant aux éclats, il exécuta une danse triomphale autour de Robinson, puis il se sauva à toutes jambes vers la mer pour se laver dans les vagues.

La vie reprit son cours tant bien que mal. Robinson faisait toujours semblant d'être le gouverneur et le général de l'île. Vendredi faisait semblant de travailler durement pour entretenir la civilisation dans l'île. Il n'y avait que Tenn qui ne faisait pas semblant de faire la sieste toute la journée. En vieillissant, il devenait de plus en plus gros et lent.

Vendredi, lui, avait trouvé un nouveau passe-temps. Il avait découvert la cachette où Robinson dissimulait le barillet à tabac et la longue pipe en porcelaine du capitaine van Deyssel. Chaque fois qu'il en avait l'occasion, il allait fumer une pipe dans la grotte. Si Robinson le découvrait, il le punirait sans doute lourdement, parce qu'il n'y avait presque plus de tabac. Fumer était un plaisir que Robinson ne s'accordait plus que très rarement, dans les grandes occasions.

Ce jour-là Robinson était descendu sur le rivage inspecter des lignes de fond que la marée descendante venait de découvrir. Vendredi mit le barillet sous son bras, et il alla s'installer au fond de la grotte. Là, il s'était construit une sorte de chaise longue avec des tonneaux couverts de sacs. A demi renversé en arrière, il tire de longues bouffées de la pipe. Puis il chasse de ses poumons un nuage bleu qui s'épanouit dans la faible lumière provenant de l'entrée de la grotte. Il s'apprête à tirer une nouvelle bouffée de la pipe, quand des cris et des aboiements lointains lui parviennent. Robinson est revenu plus tôt que prévu, et il l'appelle d'une voix menaçante. Tenn jappe. Un claquement retentit. Robinson a donc sorti son fouet. Sans doute s'est-il enfin aperçu de la disparition du barillet de tabac? Vendredi se lève et marche vers le châtiment qui l'attend. Soudain il s'arrête : que faire de la pipe qu'il tient toujours dans sa main? Il la jette de toutes ses forces dans le fond de la grotte, là où sont rangés les tonneaux de poudre. Puis, bravement, il va rejoindre Robinson. Robinson est furieux. Quand il voit Vendredi, il lève son fouet. C'est alors que les quarante tonneaux de poudre font explosion. Un torrent de flammes rouges jaillit de la grotte. Robinson se sent soulevé, emporté, tandis qu'il voit avant de s'évanouir les gros rochers qui surmontent la grotte rouler les uns sur les autres comme les pièces d'un jeu de construction.

En ouvrant les yeux, Robinson vit d'abord un visage penché sur lui. Vendredi lui soutenait la tête de la main gauche et essayait de lui faire boire de l'eau fraîche dans le creux de sa main droite. Mais Robinson serrait les dents, et l'eau coulait autour de sa bouche, dans sa barbe et sur sa poitrine.

L'Indien sourit et se releva en le voyant remuer. Aussitôt une partie de sa chemise et la jambe gauche de son pantalon, déchirés et noircis, tombèrent sur le sol. Il éclata de rire et se débarrassa par quelques contorsions du reste de ses vêtements. Puis il ramassa un morceau de miroir au milieu d'objets domestiques brisés, il s'y regarda en faisant des grimaces et le présenta à Robinson avec un nouvel éclat de rire. Il n'avait pas de blessure, mais il était barbouillé de suie, et sa belle barbe rousse était à moitié brûlée. Il se leva et arracha à son tour les loques carbonisées qui s'attachaient encore à lui. Il fit quelques pas. Il n'avait que quelques contusions sous l'épaisse couche de suie, de poussière et de terre qui le couvrait.

La maison brûlait comme une torche. La muraille de la forteresse s'était effondrée dans le fossé qui la bordait. Tous les autres bâtiments, le temple, la banque, la bergerie, le mât-calendrier avaient été soufflés pêle-mêle par l'explosion. Les deux hommes contemplaient ce champ de désolation quand une gerbe de terre monta vers le ciel à une centaine de mètres, puis une demi-seconde plus tard une terrible explosion les jeta à nouveau sur le sol. Ensuite une grêle de cailloux et de racines arrachées crépita autour d'eux. C'était l'un des tonneaux de poudre que Robinson avait enfouis sur le chemin et qu'un cordon d'étoupe permettait d'enflammer à distance.

Épouvantées par cette seconde explosion beaucoup plus proche, les chèvres s'étaient précipitées toutes ensemble dans la direction opposée et avaient défoncé la clôture du corral. Elles galopaient maintenant dans tous les sens comme des folles. Elles allaient se disperser dans l'île et revenir à l'état sauvage.

L'entrée de la grotte était bouchée par un amoncellement de rochers. L'un d'eux formait comme un pic au-dessus du chaos et devait offrir un point de vue extraordinaire sur l'île et la mer. Robinson regardait autour de lui et ramassait machinalement les objets que la grotte avait vomis avant de se refermer. Il y avait un fusil au canon tordu, des sacs troués, des paniers défoncés. Vendredi l'imitait, mais au lieu d'aller déposer comme lui au pied du cèdre les objets qu'il avait trouvés, il achevait de les détruire. Robinson le laissait faire, mais il tressaillit tout de même quand il le vit disperser à pleines poignées un peu de blé qui restait au fond d'un chaudron.

Le soir tombait, et ils venaient enfin de trouver un objet intact — la longue-vue — lorsqu'ils découvrirent le cadavre de Tenn au pied d'un arbre. Vendredi le palpa attentivement. Il n'avait rien de brisé apparemment, il semblait même n'avoir rien du tout. Pauvre Tenn, si vieux, si fidèle! L'explosion l'avait peut-être fait mourir tout simplement de peur!

Le vent se leva. Ils allèrent ensemble se laver dans la mer. Puis ils partagèrent un ananas sauvage, et Robinson se souvint que c'était la première chose qu'il eût mangée dans l'île après le naufrage. Enfin ils s'étendirent au pied du grand cèdre pour essayer de dormir.

Robinson réfléchissait en regardant la lune entre les branches noires du cèdre. Ainsi toute l'œuvre qu'il avait accomplie sur l'île, ses cultures, ses élevages, ses constructions, toutes les provisions qu'il avait accumulées dans la grotte, tout cela était perdu par la faute de Vendredi. Et pourtant il ne lui en voulait pas. La vérité, c'est qu'il en avait assez depuis longtemps de cette organisation ennuyeuse et tracassière, mais qu'il n'avait pas le courage de la détruire. Maintenant, ils étaient libres tous les deux. Robinson se demandait avec curiosité ce qui allait se passer, et il comprenait que ce serait désormais Vendredi qui mènerait le jeu.

Il regardait toujours le ciel en réfléchissant, quand il vit tout à coup la lune glisser très vite derrière une branche et reparaître de l'autre côté. Puis elle s'arrêta, et tout de suite après recommença à glisser dans le ciel noir. Au même moment un épouvantable craquement retentit. Robinson et Vendredi sautèrent sur leurs pieds. Ce n'était pas la lune qui bougeait, c'était l'arbre qui était en train de s'écrouler. Miné par l'explosion, le grand cèdre n'avait pu résister au vent de la nuit. Il s'abattit dans la forêt en écrasant sous lui des dizaines d'arbustes, et le sol trembla sous le choc de l'énorme tronc.

Vendredi commença leur nouvelle vie par une longue période de siestes. Il passait des journées entières dans le hamac de lianes tressées qu'il avait tendu entre deux palmiers au bord de la mer. Il bougeait si peu que les oiseaux venaient se poser dans les arbres tout près de lui. Alors il tirait sur eux avec sa sarbacane, et, le soir, il faisait rôtir avec Robinson le produit de cette sorte de chasse, certainement la méthode la plus paresseuse qui existât.

De son côté, Robinson avait commencé à se transformer complètement. Avant il portait des cheveux très courts, presque ras, et au contraire une grande barbe qui lui donnait un air de grand-père. Il coupa sa barbe — qui avait été d'ailleurs déjà abîmée par l'explosion — et il laissa pousser ses cheveux qui formèrent des boucles dorées sur toute sa tête. Du coup il paraissait beaucoup plus jeune, presque le frère de Vendredi. Il n'avait plus du tout la tête d'un gouverneur et encore moins d'un général.

Son corps aussi s'était transformé. Il avait toujours craint les coups de soleil, d'autant plus qu'il était roux. Quand il devait rester au soleil, il se couvrait des pieds à la tête, mettait un chapeau et n'oubliait pas de surcroît sa grande ombrelle en peau de chèvre. Aussi il avait une peau blanche et fragile comme celle d'une poule plumée.

Encouragé par Vendredi, il commença à s'exposer nu au soleil. D'abord il avait été tout recroquevillé, laid et honteux. Puis il s'était épanoui. Sa peau avait durci et avait une teinte cuivrée. Il était fier maintenant de sa poitrine bombée et de ses muscles saillants. Il s'exerçait avec Vendredi à toutes sortes de jeux. Ils faisaient la course sur le sable, ils se défiaient à la nage, au saut en hauteur, au lancer des bolas. Robinson avait appris également à marcher sur les mains, comme son compagnon. Il faisait « les pieds au mur » contre un rocher, puis il se détachait de ce point d'appui et partait lourdement, encouragé par les applaudissements de Vendredi.

Mais surtout il regardait faire Vendredi, il l'observait, et il apprenait grâce à lui comment on doit vivre sur une île déserte du Pacifique.

Par exemple, Vendredi passait de longues heures à confectionner des arcs et des flèches. Il tailla d'abord des arcs *simples* dans les bois les plus souples, comme le noisetier, le santal, l'amarante ou le copaïba. Puis selon la technique chilienne, il fabriqua des arcs composites — formés de plusieurs pièces — plus puissants et plus durables. Sur un arc simple, il ligaturait des lamelles de cornes de boucs qui ajoutaient leur propre élasticité à celle du bois.

Mais c'était surtout aux flèches qu'il consacrait le plus de travail, car s'il augmentait sans cesse la puissance de ses arcs, c'était pour pouvoir envoyer des flèches de plus en plus longues. Il en arriva bientôt à faire des flèches d'un mètre cinquante. La flèche se compose de trois parties : la pointe, le fût et l'empennage. Vendredi passait des heures à équilibrer ces trois éléments en faisant osciller le fût sur l'arête d'une pierre. Rien de plus important pour l'efficacité d'une flèche que le rapport du poids de la pointe et de celui de l'empennage. Vendredi empennait ses flèches autant qu'il le pouvait, en utilisant des plumes d'oiseaux ou des feuilles de palmier. D'autre part il se servait pour les pointes non de pierre ou de métal, mais d'os, surtout d'omoplates de chèvres dans lesquelles il découpait ses pointes en forme d'ailettes. Robinson finit par comprendre que Vendredi ne cherchait pas à obtenir des projectiles précis et puissants destinés à percer des oiseaux ou des lapins. Non, ce qu'il voulait, c'était que ses flèches volent le plus haut, le plus loin et le plus longtemps possible. Il envoyait ses flèches, non pour tuer, mais pour le plaisir de les voir planer dans le ciel, comme des mouettes.

Un jour que le vent marin assez vif faisait moutonner les vagues, Robinson observait Vendredi qui tirait des flèches droit vers le soleil. Il en prit une particulièrement longue — elle dépassait deux mètres — empennée sur au moins cinquante centimètres avec des plumes d'albatros. Puis il banda l'arc de toutes ses forces en visant à quarante-cinq degrés vers la forêt. La corde en se détendant fouetta le brassard de cuir qu'il nouait sur son avant-bras gauche pour le protéger. La flèche monta jusqu'à une hauteur de cent mètres au moins. Là, elle parut hésiter, mais au lieu de repiquer vers la plage, emportée par le vent, elle fila vers la forêt. Lorsqu'elle eut disparu derrière les premiers arbres, Vendredi se tourna avec un large sourire vers Robinson.

— Elle va tomber dans les branches, tu ne la retrouveras pas, dit Robinson.

— Je ne la retrouverai pas, dit Vendredi, mais c'est parce que celle-là ne retombera jamais.

Avant l'explosion, Robinson faisait faire à Vendredi le genre de cuisine qu'il avait apprise dans sa famille à York. Si au début de son séjour dans l'île il avait été obligé de faire rôtir sa viande sur un feu vif, il était bien vite revenu ensuite à des recettes proches du boeuf bouilli, le plat le plus en faveur chez les Anglais de cette époque. Mais maintenant, Vendredi lui apprenait des recettes qui étaient celles des tribus araucaniennes, ou qu'il inventait tout simplement.

L'idéal pour Vendredi, c'était certes de manger le mieux possible, mais n'importe où, n'importe quand, et surtout sans avoir besoin d'une cuisine et d'ustensiles. L'explosion avait détruit les plats et les casseroles qu'il y avait dans l'île. Par exemple la plupart des oiseaux qu'ils mangeaient, Vendredi les préparait *à l'argile*. C'est la façon la plus simple et la plus amusante de faire cuire un poulet ou tout autre volatile :

Vendredi le vidait et mettait dans son ventre du

sel, du poivre, et à volonté des herbes aromatiques ou même un peu de farce, mais ce n'est pas indispensable. *Il lui laissait toutes ses plumes.* Ensuite il préparait de l'argile mouillée — pas trop mouillée, mais assez pour qu'elle soit facile à modeler et à pétrir — il en faisait une galette bien plate. Puis il roulait cette galette autour de l'oiseau, il l'enfermait bien dans la pâte, il faisait autour de lui comme une boule d'argile qui ressemblait à un gros œuf ou à un ballon de rugby, selon la grosseur. La couche d'argile devait avoir de un à trois centimètres. Il faisait dans un trou un feu de bois assez nourri, car il fallait beaucoup de braises. Quand le feu était bien pris, il mettait la boule d'argile dans le trou, au milieu des braises. Ensuite il entretenait le feu une heure ou deux. L'argile séchait et durcissait comme une poterie. Quand la boule était devenue bien dure, il la sortait du trou et il la cassait. Les plumes restaient collées à l'argile, et l'oiseau était cuit comme au four, tendre et savoureux.

Mais ce qui plaisait surtout à Vendredi, dans cette façon de faire, c'était qu'on cassait chaque fois la boule de terre cuite où l'oiseau avait été enfermé, et ainsi pas de vaisselle à laver, ni à ranger.

Pour les œufs, Robinson avait l'habitude de les mettre dans l'eau bouillante plus ou moins longtemps pour qu'ils soient coque, mollets ou durs. Vendredi lui apprit qu'on pouvait se passer de casserole et d'eau. En les transperçant de part en part avec un bâtonnet pointu, il confectionna une sorte de *broche à œuf* qu'il faisait tourner au-dessus du feu.

Robinson avait toujours cru qu'un bon cuisinier ne doit pas mélanger la viande et le poisson, le sel et le sucre. Vendredi lui montra que ces mélanges sont quelquefois possibles, et même succulents. Par exemple, avant de faire rôtir une tranche de pécari, il faisait avec la pointe du couteau une série de fentes profondes dans l'épaisseur de la viande et, dans chaque fente, il glissait une huître ou une moule crue. La viande farcie de coquillages avait un goût délicieux.

Pour mélanger le sucré et le salé, il entourait un poisson d'une garniture d'ananas, ou il farcissait un lapin avec des prunes. Mais surtout, il apprit à Robinson à faire du sucre. Il lui montra une sorte de palmier ventru, plus gros au centre qu'à la base et au sommet, bref en forme de quille. Quand on l'abat et quand on coupe ses feuilles, on voit aussitôt des gouttes de sève épaisse et sucrée se mettre à couler. Il est préférable que l'arbre soit exposé au soleil, et il faut que le sommet — d'où la sève coule — soit posé *plus haut* que la base, ce qui n'est pas étonnant puisque la sève a tendance normalement à *monter* dans le tronc de l'arbre. Ce sucre liquide peut couler des mois, à condition qu'on rafraîchisse régulièrement la tranche, car les pores d'où il sort ont tendance à se boucher.

Vendredi montra à Robinson qu'en exposant au feu cette mélasse, elle se caramélisait. Il en enduisait des fruits qu'il rôtissait à la broche, mais aussi des viandes, et même des poissons.

Pourtant, c'est à propos d'un plat cuisiné que pour la première fois Robinson et Vendredi se disputèrent. Autrefois — avant l'explosion — il ne pouvait pas y avoir de dispute entre eux. Robinson était le maître. Vendredi n'avait qu'à obéir. Robinson pouvait réprimander, ou même battre Vendredi. Maintenant, Vendredi était libre. Il était l'égal de Robinson. Aussi ils pouvaient se fâcher l'un contre l'autre.

C'est ce qui arriva lorsque Vendredi prépara dans un grand coquillage une quantité de rondelles de serpent avec une garniture de sauterelles. Depuis plusieurs jours d'ailleurs, il agaçait Robinson. Rien de plus dangereux que l'agacement quand on doit vivre seul avec quelqu'un. Robinson avait eu la veille une indigestion de filets de tortue aux myrtilles. Et voilà que Vendredi lui mettait sous le nez cette fricassée de python et d'insectes! Robinson eut un haut-le-cœur et envoya d'un coup de pied la grande coquille rouler dans le sable avec son contenu. Vendredi furieux la ramassa et la brandit à deux mains au-dessus de la tête de Robinson.

Les deux amis allaient-ils se battre? Non! Vendredi se sauva.

Deux heures plus tard, Robinson le vit revenir en traînant derrière lui sans douceur une sorte de mannequin. La tête était faite dans une noix de coco, les jambes et les bras dans des tiges de bambou. Surtout, il était habillé avec des vieux vêtements de Robinson, comme un épouvantail à oiseaux. Sur la noix de coco, coiffée d'un chapeau de marin, Vendredi avait dessiné le visage de son ami. Il planta le mannequin debout près de Robinson.

— Je te présente Robinson Crusoé, gouverneur de l'île de Speranza, lui dit-il.

Puis il ramassa la coquille sale et vide qui était toujours là et, avec un rugissement, il la brisa sur la noix de coco qui s'écroula au milieu des tubes de bambou brisés. Ensuite Vendredi éclata de rire, et alla embrasser Robinson.

Robinson comprit la leçon de cette étrange comédie. Un jour que Vendredi mangeait des gros vers de palmier vivants roulés dans des œufs de fourmis, Robinson exaspéré alla sur la plage. Dans le sable mouillé, il sculpta une sorte de statue couchée à plat ventre avec une tête dont les cheveux étaient des algues. On ne voyait pas la figure cachée dans l'un des bras replié, mais le corps brun et nu ressemblait à Vendredi. Robinson avait à peine terminé son œuvre quand Vendredi vint le rejoindre, la bouche encore pleine de vers de palmier.

— Je te présente Vendredi, le mangeur de serpents et de vers, lui dit Robinson en lui montrant la statue de sable.

Puis il cueillit une branche de coudrier qu'il débarrassa de ses rameaux et de ses feuilles, et il se mit à fouetter le dos et les fesses du Vendredi de sable qu'il avait fabriqué dans ce but.

Dès lors, ils vécurent à quatre sur l'île. Il y avait le vrai Robinson et la poupée Robinson, le vrai Vendredi et la statue de Vendredi, et tout ce que les deux amis auraient pu se faire de mal — les injures, les coups, les colères — ils le faisaient à la copie de l'autre. Entre eux ils n'avaient que des gentillesses.

Pourtant Vendredi trouva moyen d'inventer un autre jeu encore plus passionnant et curieux que celui des deux copies.

Un après-midi, il réveilla assez rudement Robinson qui faisait la sieste sous un eucalyptus. Il s'était fabriqué un déguisement dont Robinson ne comprit pas tout de suite le sens. Il avait enfermé ses jambes dans des guenilles nouées en pantalon. Une courte veste couvrait ses épaules. Il portait un chapeau de paille, ce qui ne l'empêchait pas de s'abriter sous une ombrelle de palmes. Mais surtout, il s'était fait une fausse barbe en se collant des touffes de coton sur les joues.

— Sais-tu qui je suis? demanda-t-il à Robinson en déambulant majestueusement devant lui.

— Non.

— Je suis Robinson Crusoé, de la ville d'York en Angleterre, le maître du sauvage Vendredi!

— Et moi, alors, qui suis-je? demanda Robinson stupéfait.

— Devine!

Robinson connaissait trop bien Vendredi pour ne pas comprendre à demi-mot ce qu'il voulait. Il se leva et disparut dans la forêt.

Si Vendredi était Robinson, le Robinson d'autrefois, maître de l'esclave Vendredi, il ne restait à Robinson qu'à devenir Vendredi, le Vendredi esclave d'autrefois. En réalité, il n'avait plus sa barbe carrée et ses cheveux rasés d'avant l'explosion, et il ressemblait tellement à Vendredi qu'il n'avait pas grand-chose à faire pour jouer son rôle. Il se contenta de se frotter la figure et le corps avec du jus de noix pour se brunir et d'attacher autour de ses reins le pagne de cuir des Araucans que portait Vendredi le jour où il débarqua dans l'île. Puis il se présenta à Vendredi et lui dit :

— Voilà, je suis Vendredi!

Alors Vendredi s'efforça de faire de longues phrases dans son meilleur anglais, et Robinson lui répondit avec les quelques mots d'araucan qu'il avait appris du temps que Vendredi ne parlait pas du tout anglais.

— Je t'ai sauvé de tes congénères qui voulaient te sacrifier aux puissances maléfiques, dit Vendredi.

Et Robinson s'agenouilla par terre, il inclina sa tête jusqu'au sol en grommelant des remerciements éperdus. Enfin prenant le pied de Vendredi, il le posa sur sa nuque.

Ils jouèrent souvent à ce jeu. C'était toujours Vendredi qui en donnait le signal. Dès qu'il apparaissait avec son ombrelle et sa fausse barbe, Robinson comprenait qu'il avait en face de lui Robinson, et que lui-même devait jouer le rôle de Vendredi. Ils ne jouaient d'ailleurs jamais des scènes inventées, mais seulement des épisodes de

JE SUIS VENDREDI

leur vie passée, alors que Vendredi était un esclave apeuré et Robinson un maître sévère. Ils représentaient l'histoire des cactus habillés, celle de la rizière asséchée, celle de la pipe fumée en cachette près de la réserve de poudre. Mais aucune scène ne plaisait autant à Vendredi que celle du début, quand il fuyait les Araucans qui voulaient le sacrifier, et quand Robinson l'avait sauvé.

Robinson avait compris que ce jeu faisait du bien à Vendredi parce qu'il le guérissait du mauvais souvenir qu'il avait de sa vie d'esclave. Mais à lui aussi Robinson, ce jeu faisait du bien, parce qu'il avait toujours un peu de remords d'avoir été un maître dur pour Vendredi.

Un jour, Vendredi revint d'une promenade en portant un petit tonneau sur son épaule. Il l'avait trouvé à proximité de l'ancienne forteresse, en creusant le sable pour attraper un lézard.

Robinson réfléchit longtemps, puis il se souvint qu'il avait enterré deux tonneaux de poudre reliés à la forteresse par un cordon d'étoupe qui permettait de les faire exploser à distance. Seul l'un des deux avait explosé peu après la grande catastrophe. Vendredi venait donc de retrouver l'autre. Robinson fut surpris de le voir si heureux de sa trouvaille.

— Qu'allons-nous faire de cette poudre, tu sais bien que nous n'avons plus de fusil?

Pour toute réponse, Vendredi introduisit la pointe de son couteau dans la fente du couvercle et ouvrit le tonnelet. Puis il y plongea la main et en retira une poignée de poudre qu'il jeta dans le feu. Robinson avait reculé en craignant une explosion. Il n'y eut pas d'explosion, seulement une grande flamme verte qui se dressa avec un souffle de tempête et disparut aussitôt.

— Tu vois, expliqua Vendredi, le fusil est la façon la moins jolie de brûler la poudre. Enfermée dans le fusil, la poudre crie et devient méchante. Laissée en liberté, elle est belle et silencieuse.

Puis il invita Robinson à jeter lui-même une poignée de poudre dans le feu mais, cette fois, il sauta en l'air en même temps que la flamme, comme s'il voulait danser avec elle. Et ils recommencèrent, et encore, et encore, et il y avait ainsi de grands rideaux de feu verts et mouvants, et sur chacun d'eux la silhouette noire de Vendredi dans une attitude différente.

Plus tard, ils inventèrent une autre façon de jouer avec la poudre. Ils recueillirent de la résine de pin dans un petit pot. Cette résine — qui brûle déjà très bien — ils la mélangèrent avec la poudre. Ils obtinrent ainsi une pâte noire, collante et terriblement inflammable. Avec cette pâte, ils couvrirent le tronc et les branches d'un arbre mort qui se dressait au bord de la falaise. La nuit venue ils y mirent le feu : alors tout l'arbre se couvrit d'une carapace d'or palpitant, et il brûla jusqu'au matin, comme un grand candélabre de feu.

Ils travaillèrent plusieurs jours à convertir toute la poudre en pâte à feu et à en enduire tous les arbres morts de l'île. La nuit, quand ils s'ennuyaient et ne trouvaient pas le sommeil, ils allaient ensemble allumer un arbre. C'était leur fête nocturne et secrète.

Au cours des années qui avaient précédé l'explosion et la destruction de l'île civilisée, Robinson s'était efforcé d'apprendre l'anglais à Vendredi. Sa méthode était simple. Il lui montrait une marguerite, et il lui disait :

— Marguerite.

Et Vendredi répétait :

— Marguerite.

Et Robinson corrigeait sa prononciation défectueuse aussi souvent qu'il le fallait. Ensuite, il lui montrait un chevreau, un couteau, un perroquet, un rayon de soleil, un fromage, une loupe, une source, en prononçant lentement :

— Chevreau, couteau, perroquet, soleil, fromage, loupe, source.

Et Vendredi répétait après lui, et répétait aussi longtemps que le mot ne se formait pas correctement dans sa bouche.

Lorsque la catastrophe s'était produite, Vendredi savait depuis longtemps assez d'anglais pour comprendre les ordres que lui donnait Robinson

et nommer tous les objets utiles qui les entouraient.
Un jour cependant, Vendredi montra à Robinson
une tache blanche qui palpitait dans l'herbe, et il
lui dit :

— Marguerite.

— Oui, répondit Robinson, c'est une marguerite.
Mais à peine avait-il prononcé ces mots que la
marguerite battait des ailes et s'envolait.

— Tu vois, dit-il aussitôt, nous nous sommes
trompés. Ce n'était pas une marguerite, c'était un
papillon.

— Un papillon blanc, rétorqua Vendredi, c'est
une marguerite qui vole.

Avant la catastrophe, quand il était le maître de
l'île et de Vendredi, Robinson se serait fâché. Il
aurait obligé Vendredi à reconnaître qu'une fleur est
une fleur, et un papillon un papillon. Mais là, il se
tut et réfléchit.

Plus tard, Vendredi et lui se promenaient sur la
plage. Le ciel était bleu, sans nuages, mais comme
il était encore très matin, on voyait le disque blanc
de la lune à l'ouest. Vendredi qui ramassait des
coquillages montra à Robinson un petit galet qui
faisait une tache blanche et ronde sur le sable pur
et propre. Alors, il leva la main vers la lune et dit
à Robinson :

— Écoute-moi. Est-ce que la lune est le galet du
ciel, ou est-ce ce petit galet qui est la lune du sable?

Et il éclata de rire, comme s'il savait d'avance
que Robinson ne pourrait pas répondre à cette
drôle de question.

Puis il y eut une période de mauvais temps. Des
nuages noirs s'amoncelèrent au-dessus de l'île, et
bientôt la pluie se mit à crépiter sur les feuillages, à
faire jaillir des milliards de petits champignons à la
surface de la mer, à ruisseler sur les rochers. Ven-

dredi et Robinson s'étaient abrités sous un arbre. Vendredi s'échappa soudain et s'exposa à la douche. Il renversait son visage en arrière et laissait l'eau couler sur ses joues. Il s'approcha de Robinson.

— Regarde, lui dit-il, les choses sont tristes, elles pleurent. Les arbres pleurent, les rochers pleurent, les nuages pleurent, et moi, je pleure avec eux. Ouh, ouh, ouh! La pluie, c'est le grand chagrin de l'île et de tout...

Robinson commençait à comprendre. Il acceptait peu à peu que les choses les plus éloignées les unes des autres — comme la lune et un galet, les larmes et la pluie — puissent se ressembler au point d'être confondues, et que les mots volent d'une chose à une autre, même si ça devait un peu embrouiller les idées.

Il entra tout à fait dans le jeu quand Vendredi lui expliqua les règles du *Portrait araucan en cinq touches*. Vendredi lui disait par exemple :

— C'est une mère qui te berce, c'est un cuisinier qui sale ta soupe, c'est une armée de soldats qui te retient prisonnier, c'est une grosse bête qui se fâche, hurle et trépigne quand il fait du vent, c'est une peau de serpent aux mille écailles qui miroitent au soleil. Qu'est-ce que c'est?

— C'est l'Océan! triompha Robinson.

Et pour montrer qu'il avait compris la règle du jeu, il interrogea Vendredi à son tour :

— C'est une toison géante où deux hommes sont cachés comme des puces, c'est le sourcil qui se fronce au-dessus du gros œil de la mer, c'est un peu de vert sur beaucoup de bleu, c'est un peu d'eau douce dans beaucoup d'eau salée, c'est un bateau toujours immobile à l'ancre. Qu'est-ce que c'est?

— C'est notre île, Speranza, s'écria Vendredi, et il posa à son tour une autre devinette :

— Si c'était un arbre, ce serait un palmier à cause des poils fauves qui en couvrent le tronc. Si c'était un oiseau, ce serait le corbeau du Pacifique à cause de son cri rauque et aboyant, si c'était une partie de mon corps, ce serait ma main gauche à cause de la fidélité avec laquelle elle aide ma main droite. Si c'était un poisson ce serait le brochet chilien à cause de ses dents aiguisées. Si c'était un fruit, ce serait deux noisettes, à cause de ses petits yeux bruns. Qu'est-ce que c'est?

— C'est Tenn, notre bon chien, répondit Robinson. Je l'ai reconnu avec son poil fauve, son aboiement, sa fidélité, ses crocs aiguisés et ses petits yeux noisette.

Mais parce qu'il évoquait le souvenir du bon Tenn disparu, Robinson sentit une tristesse l'envahir, et une drôle de boule se gonfler dans sa gorge et l'empêcher de parler.

Vendredi s'en aperçut et s'en voulut de sa maladresse.

Un matin, Vendredi fut réveillé par la voix de Robinson qui l'appelait par son nom. Il se dressa sur son séant et regarda autour de lui. Personne! Pourtant il n'avait pas rêvé. Tout à coup, juste au-dessus de sa tête, partant des branches de l'arbuste sous lequel il avait dormi, l'appel retentit à nouveau :

— Vendredi! Vendredi!

Il se leva et inspecta le feuillage du petit arbre. C'est alors qu'il vit un oiseau vert et gris s'enfuir à tire-d'aile avec une espèce de ricanement dans la direction d'un petit bois où les deux amis allaient rarement.

Il voulut en avoir le cœur net et se dirigea vers ce point de l'île. Il n'eut pas à chercher longtemps : l'un des plus beaux arbres — un tulipier — paraissait chargé de gros fruits bizarres... qui se révélèrent en réalité comme autant de nids de perroquets.

L'après-midi, il revint avec Robinson. Les perroquets faisaient un grand vacarme de caquetages dans les branches du tulipier, mais ils se turent soudain en voyant approcher les deux amis, et c'est dans un grand silence que Vendredi et Robinson s'arrêtèrent sous l'arbre.

— Je n'ai jamais vu de perroquets dans l'île, dit Robinson. Ils ont dû tous arriver en même temps pour pondre leurs œufs et viennent sans doute d'une autre île pas trop éloignée.

Vendredi ouvrait la bouche pour lui répondre, mais il fut interrompu par la cacophonie des perroquets qui se remettaient tous à parler ensemble. *Jamais vu, jamais vu, jamais vu,* criait l'un, *une autre île, une autre île, une autre île,* répétait un autre, *arriver en même temps, arriver en même temps, arriver en même temps,* caquetait un troisième, et tout un groupe d'oiseaux verts perchés sur la plus proche branche leur cornaient aux oreilles *trop éloignée, trop éloignée, trop éloignée.*

Assourdis par tout ce bruit, Vendredi et Robinson s'enfuirent jusque vers les grands pins qui bordaient la plage.

— C'est bien la première fois depuis mon naufrage que je suis gêné par des bruits de voix, s'écria Robinson qui se souvenait de ses longues années de solitude.

— *Bruits de voix, bruits de voix, bruits de voix!* glapit une voix aigre dans les branches du pin le plus proche.

Il fallut fuir encore plus loin, au bord de la mer, à l'endroit où les vagues croulent sur le sable mouillé.

Dès lors, Robinson et Vendredi eurent la plus grande difficulté à échanger des phrases sans qu'aussitôt une voix moqueuse, partant du buisson ou de l'arbuste voisin, ne vienne les interrompre en répétant certains mots qu'ils avaient prononcés. Exaspéré, Robinson ne se déplaçait plus qu'avec un bâton qu'il lançait rageusement dans la direction d'où venait la voix. Jamais il n'atteignit un perroquet, mais souvent on en voyait un s'enfuir avec un cri qui ressemblait à un rire moqueur.

— En vérité, lui dit Vendredi quelques jours plus tard, je crois que c'est une bonne leçon. Nous parlons trop. Il n'est pas toujours bon de parler. Dans ma tribu, chez les Araucans, plus on est sage, moins on parle. Plus on parle, moins on est respecté. Les animaux les plus bavards sont les singes et, parmi les hommes, ce sont les petits enfants et les vieilles femmes qui parlent le plus.

Et il ne se laissa pas troubler par le cri qui retentit presque sous ses pieds et qui répétait *petits enfants, petits enfants, petits enfants*. Il montra à Robinson un certain nombre de gestes des mains qui pouvaient exprimer les choses les plus importantes.

Ainsi ce geste signifiait :

J'ai sommeil.

Cet autre :

J'ai faim.

Celui-ci :

J'ai soif.

En voici quelques autres grâce auxquels les deux amis se comprenaient en silence :

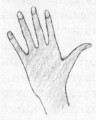

Attention!

Il faut partir!

Il faut se cacher!

Il va faire chaud.

Il va pleuvoir.

Un oiseau est là.

Un pécari est là.

Ainsi Robinson et Vendredi restèrent-ils silencieux plusieurs semaines. Un matin, les œufs des perroquets ayant éclos et leurs petits ayant appris à voler, il y eut un grand rassemblement caquetant sur le rivage. Puis d'un seul coup, au moment où le soleil se levait, tous les oiseaux s'envolèrent vers le large, et on vit décroître et disparaître à l'horizon un gros nuage rond et vert comme une pomme.

Robinson et Vendredi se remirent à parler avec leur bouche, et ils furent tout heureux d'entendre à nouveau le son de leurs propres voix. Mais l'expérience avait été heureuse et salutaire, et souvent, désormais, d'un commun accord, ils se taisaient et ne communiquaient plus qu'avec leurs mains.

Les chèvres que Robinson avait domestiquées et enfermées dans des enclos étaient retournées à l'état sauvage. Mais comme presque toutes les bêtes qui vivent en liberté, elles s'étaient organisées en groupes que commandaient les boucs les plus forts et les plus sages. Ces maîtres-boucs obéissaient eux-mêmes à un roi-bouc d'une taille et d'une force terribles qui s'appelait Andoar.

Quand un danger menaçait un troupeau, il se rassemblait — généralement sur une colline ou un rocher — et toutes les bêtes du premier rang baissaient la tête et opposaient à l'ennemi une barrière de cornes infranchissable.

Vendredi avait imaginé un jeu dangereux qui le passionnait. Il luttait avec les boucs qu'il surprenait isolés. S'ils fuyaient, il les rattrapait à la course. Il empoignait leurs cornes et il les forçait à se coucher. Pour marquer ceux qu'il avait ainsi vaincus, il leur nouait un petit collier de lianes autour du cou.

Il arriva cependant qu'au cours d'une de ces

chasses au bouc, Vendredi recueillit une petite chèvre qu'il avait trouvée blessée dans un creux de rocher. Elle avait une patte de devant cassée. C'était une chevrette toute jeune, blanche, et elle n'avait pas encore de cornes. Vendredi lui fabriqua des attelles avec des bâtons qu'il lia autour de l'os fracturé. Sans doute une chèvre plus âgée et plus raisonnable se serait-elle accommodée de cet appareil qui l'empêchait de plier le genou. Mais la petite chèvre Anda — ainsi l'avait baptisée Vendredi — ne pouvait tenir en place. Elle sautait comme une folle et se faisait très mal en retombant sur ses attelles. D'ailleurs, elle finissait toujours par s'en débarrasser, et alors elle basculait sur le flanc et poussait des cris lamentables.

Robinson était d'avis qu'il fallait l'abattre. Dans tous les pays du monde, on abat les chèvres, les moutons, et même les chevaux qui ont un membre cassé. C'est que ces animaux ne peuvent supporter la contrainte du plâtre ou des éclisses qui maintiennent en place les os fracturés.

Mais Vendredi s'obstina à vouloir sauver Anda. Puisqu'elle ne pouvait ni marcher, ni courir, ni sauter, eh bien, il l'immobiliserait tout à fait! C'est ainsi qu'il la lia dans un cadre de bois posé sur le sol. Au début, Anda, couchée sur le flanc, se débattait et bêlait à fendre l'âme. Mais elle se résigna et consentit à manger l'herbe odorante et à boire l'eau fraîche que Vendredi lui apportait deux fois par jour.

Au bout de trois semaines, Vendredi la libéra. Aussitôt la petite chèvre voulut s'élancer. Mais ses muscles étaient ankylosés. Elle titubait comme si elle avait bu du vin. Il fallut lui rapprendre à marcher. Vendredi s'y employa avec une patience inlassable. Il la tenait par les flancs, entre ses propres jambes, et il avançait pas à pas, tandis que les petits sabots piaffaient et s'embrouillaient maladroitement sur les cailloux. Elle finit cependant par pouvoir à nouveau sauter et galoper, la petite Anda, et c'était merveille de la voir bondir de rocher en rocher, tantôt derrière Vendredi, tantôt le précédant, mais alors il avait parfois bien du mal à la suivre.

Seulement, si elle avait appris à nouveau à courir, Anda ne voulut jamais se remettre à brouter seule! On pouvait la placer au milieu d'une prairie pleine d'herbes et de fleurs, ou sous le feuillage tendre d'un arbrisseau — car les chèvres préfèrent les feuilles aux herbes — elle bêlait en direction de Vendredi et attendait qu'il lui donne de sa main les plantes qu'il avait cueillies pour elle.

Vendredi et Anda étaient inséparables. La nuit, Vendredi se couvrait de la fourrure chaude et vivante d'Anda, étendue sur lui. Le jour, elle ne le quittait pas d'un mètre.

— Tu verras, disait-il à Robinson. Plus tard, quand elle aura du lait, je ne la trairai pas, comme nous faisions autrefois, non! Je la téterai directement, comme une petite maman!

Et il riait de plaisir à cette idée. Robinson l'écoutait avec une certaine jalousie, car il se sentait exclu de la grande amitié qui unissait Vendredi et la chevrette.

— Depuis la catastrophe, lui dit-il, tu veux que tout le monde soit libre à Speranza, et qu'il n'y ait plus d'animaux domestiques. Alors pourquoi retiens-tu Anda près de toi?

— Anda n'est pas un animal domestique, répondit Vendredi avec dignité. Elle est libre. Elle reste avec moi, parce qu'elle m'aime. Le jour où elle voudra partir, je ne l'empêcherai pas!

Or un matin, Vendredi se réveilla avec le sentiment qu'il s'était passé quelque chose pendant son sommeil. Anda était bien dans ses bras, comme d'habitude, pourtant, en la regardant en face, Vendredi lui trouva un drôle d'air. Et puis il flottait une odeur autour de lui, une odeur forte, une odeur de bouc! Il ne dit rien, mais il y pensa toute la journée.

La nuit suivante, il ne dormit que d'un œil. Et voilà qu'à minuit le buisson près duquel il reposait parut s'entrouvrir comme une grosse fleur, et il vit apparaître en son milieu la plus belle tête de bouc qu'il avait jamais vue. Des longs yeux d'or brillaient dans l'épaisseur de la toison, une barbiche fine et soyeuse s'agitait au bout du menton, de grosses cornes noires et annelées se dressaient sur son front. En même temps un léger souffle de vent rabattait sur Vendredi une terrible odeur de suint et de musc. Bien qu'il ne l'ait jamais vu, Vendredi reconnut aussitôt Andoar, le roi des chèvres de Speranza. Mais sans doute Anda l'avait-elle vu aussi, car elle se débattait doucement dans les bras de Vendredi, comme si elle avait voulu se dégager sans le réveiller. Mais Vendredi la serra plus fort et l'empêcha de partir, jusqu'à ce que le grand bouc ait disparu. Aussitôt, il se souvint de ce qu'il avait dit à Robinson : si Anda voulait partir, il ne l'en empêcherait pas! Et il rougit de honte sous sa peau brune.

Le jour suivant, il tressa soigneusement des lianes de couleurs vives pour en faire un collier plus solide et plus beau que les autres : le collier du roi Andoar. Puis il partit dans la montagne à la recherche de son adversaire.

Il l'aperçut au sommet d'un rocher, immobile comme une grosse statue de poils. Il grimpa lentement le long du rocher, en serrant entre ses dents le collier de lianes de couleurs qui devait marquer sa victoire sur Andoar. Sur le sommet du rocher, il y avait vraiment peu de place pour deux! Mais le bouc ne bougeait toujours pas. Vendredi ne savait que faire. Fallait-il le provoquer? Il s'approcha en tenant le collier à bout de bras. Il allait toucher le bouc, quand celui-ci s'avança brusquement d'un mètre et passa ses grandes cornes à droite et à gauche de la ceinture de Vendredi. L'Indien était pris comme dans les branches d'une grande pince. Puis le bouc tourna la tête de côté, et Vendredi, perdant l'équilibre, tomba du haut du rocher. Heureusement, la hauteur n'était pas très grande. Mais il y avait au pied du rocher des épines et des houx qui l'écorchèrent profondément.

Vendredi dut garder le hamac plusieurs jours. Robinson lui faisait des applications de mousse humide, et Anda lui léchait ses blessures. Il parlait sans cesse d'Andoar qu'il voulait retrouver pour avoir sa revanche, et, comme il était bon joueur, il ne cessait de faire l'éloge du roi des chèvres. Andoar, disait-il, pouvait être repéré à cent mètres de distance rien qu'à son épouvantable odeur. Andoar ne fuyait jamais quand on l'approchait. Andoar ne l'avait pas attaqué après sa chute du rocher, et il n'avait pas essayé de le frapper à mort, comme l'aurait fait tout autre bouc...

Vendredi était très faible. Il restait couché tout le temps, sauf quand il cueillait des herbes et puisait de l'eau pour Anda. Un soir, épuisé de fatigue, il tomba dans un sommeil profond. Quand il se réveilla très tard le lendemain matin, Anda avait disparu.

— Tu vois, dit-il à Robinson, elle a voulu partir, elle est partie.

Mais Robinson qui n'était pas dupe lui rit au nez. Alors, Vendredi jura en lui-même qu'il retrouverait Andoar, qu'il lui passerait le collier de lianes et qu'il reprendrait Anda.

Lorsqu'il fut guéri, Robinson essaya de l'empêcher de repartir défier le roi des chèvres. Il y avait d'abord l'odeur que Vendredi apportait, collée à sa peau, quand il avait lutté avec des boucs. Mais en plus, le jeu était réellement dangereux, comme le prouvaient sa chute du rocher et ses blessures. Mais tout ce qu'il pouvait dire ne servait à rien. Vendredi voulait sa revanche, et il en acceptait gaiement tous les risques. Un matin, il repartit au milieu des grands rochers à la recherche de son adversaire.

Il n'eut pas longtemps à chercher pour le découvrir. La silhouette du grand mâle se dressait au milieu d'une foule de chèvres et de chevreaux qui s'enfuirent en désordre à son approche. Seule une petite chèvre blanche resta fidèlement auprès du roi, et Vendredi fut bien obligé de reconnaître Anda. D'ailleurs elle ne broutait pas. C'était Andoar qui broutait pour elle : il arrachait une touffe d'herbe et la présentait à Anda. La chevrette s'en saisissait avec ses dents, et elle hochait plusieurs fois la tête comme pour dire merci. Vendredi en eut un pincement de jalousie.

Andoar ne cherchait pas à fuir. Il se trouvait au milieu d'une sorte de cirque, limité d'un côté par un mur de pierre vertical, de l'autre par un précipice d'une trentaine de mètres de profondeur.

Vendredi dénoua la cordelette qu'il avait enroulée autour de son poignet et l'agita comme un défi sous le nez d'Andoar. Le fauve s'arrêta tout à coup de mâcher en gardant un long brin d'herbe entre ses dents. Puis il ricana dans sa barbiche et se dressa sur ses pattes de derrière, comme pour faire le beau. Il fit ainsi quelques pas en direction de Vendredi en agitant dans le vide ses sabots de devant, et en hochant ses immenses cornes, comme s'il saluait une foule venue pour l'admirer. Vendredi fut stupéfait de cette pantomime grotesque. Cette seconde de distraction le perdit. La bête n'était plus qu'à quelques pas de lui quand elle se laissa retomber en avant et prit en même temps un élan formidable dans sa direction. Elle vola comme une flèche vers la poitrine de l'Indien. Vendredi se jeta de côté un instant trop tard. Un choc violent à l'épaule droite le fit tourner sur lui-même. Il tomba brutalement sur les pierres et demeura plaqué au sol.

S'il s'était relevé aussitôt, il aurait été incapable d'éviter une nouvelle attaque. Il resta donc aplati sur le dos, et il ne voyait ainsi entre ses paupières mi-closes qu'un morceau de ciel bleu. Brusquement le ciel s'obscurcit et une tête velue et barbichue avec un mufle tordu par une espèce de ricanement se pencha sur lui. Il tenta de faire un mouvement, mais son épaule lui fit tellement mal qu'il s'évanouit.

Lorsqu'il rouvrit les yeux, le soleil était au zénith et le baignait d'une chaleur insupportable. Il s'appuya sur sa main gauche et ramena ses pieds sous lui. Le mur de pierre réverbérait la lumière comme un miroir. Le bouc était invisible. Il se leva en chancelant, et il allait se retourner, quand il entendit derrière lui un bruit de sabots sur les pierres. Le bruit se rapprochait si vite qu'il ne chercha pas à faire face. Il se laissa tomber sur la gauche, du côté de sa bonne épaule. Un choc au niveau de la hanche le fit trébucher, les bras en croix. Andoar s'était arrêté d'un seul coup, planté sur ses quatre pattes sèches. Vendredi perdit tout à fait l'équilibre et s'écroula sur le dos du bouc. Andoar plia sous le poids, puis il se rassembla et repartit au grand galop.

Torturé par son épaule, l'Indien se cramponnait à la bête. Ses mains avaient empoigné les cornes au plus près du crâne, ses jambes serraient la fourrure des flancs dans laquelle s'accrochaient ses doigts de pied. Le bouc faisait des bonds fantastiques pour se débarrasser de ce corps nu qui l'étouffait. Il fit plusieurs fois le tour de la carrière où il avait rencontré Vendredi, sans jamais trébucher dans les rochers. Vendredi souffrait tellement qu'il avait envie de vomir et qu'il avait peur de s'évanouir à nouveau. Il fallait obliger Andoar à s'arrêter. Ses mains descendirent le long du crâne de la bête et se plaquèrent sur ses yeux. Aveuglée, elle s'arrêterait sans doute. Elle ne s'arrêta pas. Elle fonçait droit devant elle comme si les obstacles n'existaient plus. Ses sabots sonnèrent sur la dalle de pierre qui s'avançait vers le précipice, et les deux corps toujours enlacés tombèrent dans le vide.

A deux kilomètres de là, Robinson avait observé à la longue-vue la lutte et la chute des deux adversaires. Il connaissait assez bien cette région de l'île pour savoir que le fond du précipice était accessible par un petit sentier qui serpentait le long de la montagne.

Le soir tombait, lorsqu'il découvrit le cadavre d'Andoar au milieu des maigres buissons qui poussaient entre les pierres. En se bouchant le nez, il se pencha sur le grand corps brun et reconnut aussitôt la cordelière de couleur solidement nouée autour de son cou. Il se releva en entendant rire derrière lui. Vendredi était là, debout. Il était couvert d'égratignures et il avait une épaule démise, mais il paraissait tout heureux. Anda était à côté de lui et lui léchait la main.

— Le roi des chèvres était sous moi et il m'a protégé quand nous sommes tombés, expliqua-t-il. Le grand bouc est mort en me sauvant, mais je vais bientôt le faire voler et chanter.

Vendredi se remettait de ses fatigues et de ses blessures avec une rapidité qui étonnait toujours Robinson. Quelques jours plus tard, il retournait à la dépouille d'Andoar. Il trancha d'abord la tête qu'il déposa au centre d'une fourmilière. Puis il coupa la peau autour des pattes et sur toute la longueur de la poitrine et du ventre. Enfin il déshabilla le bouc de sa peau qu'il étendit à plat sur le sol. De la bête écorchée, il ne conserva que les intestins. Il les lava à grande eau et les mit à sécher dans les branches d'un arbre. Puis il gagna le bord de la mer en chantonnant avec sous son bras la lourde et grasse peau d'Andoar. Il la rinça dans les vagues pour qu'elle s'imprègne de sable et de sel. Ensuite il la gratta avec un coquillage pour enlever tous les poils. Ce travail lui demanda plusieurs jours. Enfin il l'étendit sur deux arcs de bois qui la tendaient comme une peau de tambour. Quand elle fut bien sèche, il la polit avec une pierre ponce.

— Andoar va voler, Andoar va voler, répétait-il très excité, en refusant toujours de dévoiler ses projets.

Depuis sa plus petite enfance, Robinson était sujet au vertige. Monter debout sur une chaise suffisait à lui donner un malaise. Un jour il avait voulu visiter le clocher de la cathédrale de sa ville natale, York. Après une longue escalade dans l'escalier raide et étroit qui tournait en colimaçon, il avait brusquement quitté l'ombre des murs et s'était retrouvé en plein ciel, sur une plate-forme d'où on voyait toute la ville et ses habitants gros comme des fourmis. Il avait hurlé de peur, et il avait fallu le redescendre comme un paquet, la tête enveloppée dans sa cape d'écolier.

Aussi chaque matin s'efforçait-il de monter dans un arbre pour s'aguerrir. Autrefois, il aurait trouvé cet exercice inutile et ridicule. Depuis qu'il vivait en prenant Vendredi pour modèle, il jugeait important de se débarrasser de son terrible vertige.

Il avait choisi ce matin-là un araucaria, un des plus grands arbres de l'île. Il empoigna la branche la plus basse et se hissa sur un genou. Il gravit ensuite les étages successifs du branchage en songeant qu'il jouirait du lever du soleil un peu plus tôt en se trouvant au sommet de l'arbre. A mesure qu'il grimpait, il sentait davantage l'arbre vibrer et se balancer dans le vent. Le vertige commençait à lui contracter l'estomac. Il approchait de la cime quand il se trouva tout à coup suspendu dans le vide : sous l'effet de la foudre sans doute le tronc se trouvait ébranché sur une hauteur de deux mètres. Là, il commit une erreur qu'on évite difficilement quand on craint le vertige : il regarda à ses pieds. Il ne vit qu'un fouillis de branches qui s'enfonçaient en tournant comme une spirale. L'angoisse le paralysa et il serra le tronc dans ses bras et entre ses jambes. Enfin il comprit qu'il fallait regarder non pas *au-dessous* de lui, mais *au-dessus* de lui. Il leva les yeux. Dans le ciel bleu un grand oiseau d'or en forme de losange se balançait au gré du vent. Vendredi avait exécuté sa mystérieuse promesse : il faisait voler Andoar.

Il avait d'abord ligaturé trois baguettes de jonc en forme de croix. Puis il avait creusé une gorge dans chacune de leurs sections, et il y avait fait passer un boyau. Sur le cadre léger et robuste ainsi obtenu, il avait posé la peau d'Andoar en rabattant et en cousant ses bords sur le boyau. Les deux extrémités de la baguette la plus longue étaient réunies par une ficelle assez lâche à laquelle était nouée la corde du cerf-volant en un point soigneusement calculé, car de là dépendait son inclinaison dans le vent.

Vendredi avait travaillé dès les premières lueurs de l'aube à son cerf-volant, et le grand oiseau de peau à peine terminé s'agitait dans le vent entre ses mains, comme s'il était impatient de prendre son vol. Sur la plage, l'Indien avait crié de joie au moment où Andoar, courbé comme un arc, était monté en fusée, entraînant une guirlande de plumes blanches et noires.

Robinson était bien vite descendu de son arbre

pour le rejoindre. Il le trouva couché sur le sable, les mains croisées derrière la nuque, la chevrette Anda roulée en boule à ses pieds. La corde du cerf-volant était attachée à sa cheville. Robinson s'étendit près de lui, et longtemps, ils regardèrent tous deux le vol capricieux d'Andoar au milieu des nuages, qui montait et plongeait, vibrait sous une rafale, et s'affaissait tout à coup parce que le vent faiblissait. Tout à coup Vendredi sauta sur ses pieds, et, sans détacher la corde du cerf-volant toujours nouée à sa cheville, il mima la danse aérienne d'Andoar. Riant et chantant, il s'accroupit en boule sur le sol, puis bondit en levant les bras, retomba, projeta sa jambe gauche vers le ciel, tournoya, accompagné par les gambades d'Anda. Et là-haut, très loin dans les nuages, le bel oiseau d'or attaché par trois cents mètres de fil à la cheville de l'Indien l'accompagnait dans sa danse, virevoltait, plongeait, bondissait avec lui.

L'après-midi fut consacré à la pêche au cerf-volant, telle qu'on la pratique encore dans les îles de l'archipel Salomon. La corde du cerf-volant fut attachée à l'arrière de la pirogue, tandis qu'une ligne de même longueur partait de la queue de l'engin et se terminait par un hameçon dissimulé dans une touffe de plumes. Robinson pagayait lentement contre le vent, et, loin derrière la pirogue, la touffe de plumes frôlait les vagues en scintillant. Parfois un gros poisson se jetait sur cet appât et refermait sa gueule sur l'hameçon. Alors Vendredi et Robinson voyaient dans le ciel le grand cerf-volant s'agiter comme le bouchon d'une canne à pêche quand un poisson a mordu. Robinson faisait demi-tour, et, ramant dans le sens du vent, il rejoignait assez vite le bout de la ligne que Vendredi saisissait. Au fond du bateau s'entassaient les corps brillants, tout ronds, aux dos verts et aux flancs argentés des poissons qui étaient presque tous des belones.

Le soir, Vendredi ne voulut pas ramener Andoar à terre pour la nuit. Il l'attacha à l'un des poivriers auxquels était suspendu son hamac. Tel un animal domestique à la longe, Andoar passa ainsi la nuit aux pieds de son maître. Il l'accompagna également tout le jour suivant. Mais au cours de la deuxième nuit, le vent tomba tout à fait, et il fallut aller chercher le grand oiseau au milieu d'un champ de fleurs où il s'était doucement posé. Après plusieurs essais infructueux, Vendredi renonça à le remettre dans le vent. Il parut l'oublier et ne fit plus que la sieste pendant huit jours. Alors il sembla se souvenir de la tête du bouc qu'il avait abandonnée dans une fourmilière.

Les petites fourmis avaient bien travaillé. Il ne restait plus rien des longs poils blancs et bruns, de la barbe et de la chair. Même l'intérieur de la tête avait été parfaitement nettoyé. Quand Vendredi revint vers Robinson ce jour-là, il brandissait à bout de bras un superbe crâne blanc et sec avec deux magnifiques cornes noires, annelées et en forme de lyre. Ayant retrouvé par hasard la cordelette de couleur qu'il avait nouée au cou d'Andoar, il l'attacha à la base des cornes, comme on met un nœud dans les cheveux des petites filles.

— Andoar va chanter! promit-il mystérieusement à Robinson qui le regardait faire.

Il tailla d'abord deux petites traverses de longueur inégale dans du bois de sycomore. Avec la plus longue, grâce à deux trous percés latéralement à ses extrémités, il réunit les pointes des deux cornes. La plus courte fut fixée parallèlement à la première, à mi-hauteur du chanfrein. Un peu plus haut, entre les orbites, il plaça une planchette de sapin dont l'arête supérieure portait douze étroits sillons. Enfin il décrocha les boyaux d'Andoar qui se balançaient toujours dans les branches d'un arbre, mince et sèche lanière tannée par le soleil, et il la coupa en morceaux égaux d'un mètre chacun environ.

Lorsqu'il le vit tendre entre les deux traverses, à l'aide de chevilles, les douze boyaux qui pouvaient garnir le front d'Andoar, Robinson comprit qu'il voulait fabriquer une *harpe éolienne*. La harpe éolienne est un instrument qu'on met en plein air ou dans un courant d'air, et c'est le vent qui joue de la musique en faisant vibrer les cordes. Toutes les cordes doivent donc pouvoir retentir en même temps, sans discordance, et il faut qu'elles soient accordées à l'unisson ou à l'octave.

Vendredi fixa de chaque côté du crâne une aile de vautour pour rabattre sur les cordes le plus faible souffle de vent. Puis la harpe éolienne trouva place dans les branches d'un cyprès mort qui dressait sa maigre silhouette au milieu des rochers, en un endroit exposé à toute la rose des vents. A peine installée d'ailleurs, elle émit déjà un son flûté, grêle et plaintif, bien que le temps fût tout à fait calme. Vendredi écouta longtemps cette musique si triste et si douce qu'elle donnait envie de pleurer. Enfin, il fit une grimace de mépris, et leva deux doigts en direction de Robinson. Il voulait dire par là que le vent trop faible ne faisait vibrer que deux cordes sur douze.

Il fallut attendre la prochaine tempête qui ne se produisit qu'un mois plus tard pour qu'Andoar consente à chanter à pleine voix. Robinson avait finalement élu domicile dans les branches de l'araucaria où il s'était fait un abri avec des plaques d'écorce. Une nuit, Vendredi vint le tirer par les

135

pieds. Une tourmente s'était levée, et on voyait dans le ciel livide la lune glisser rapidement comme un disque entre les nuages déchirés. Vendredi entraîna Robinson vers le cyprès. Bien avant d'arriver en vue de l'arbre, Robinson crut entendre un concert céleste où se mêlaient des flûtes et des violons. Le vent redoublait de violence quand les deux compagnons parvinrent au pied de l'arbre-chantant. Attaché court à sa plus haute branche, le cerf-volant vibrait comme une peau de tambour, tantôt immobile et frémissant, tantôt emporté dans de furieuses embardées. Sous la lumière changeante de la lune, les deux ailes de vautour s'ouvraient et se fermaient au gré des bourrasques. Ainsi Andoar-volant et Andoar-chantant semblaient réunis dans la même sombre fête. Et il y avait surtout cette musique grave et belle, si déchirante qu'on aurait dit la plainte du grand bouc, mort en sauvant Vendredi.

Serrés tous trois sous un rocher, Robinson, Vendredi et la chevrette Anda regardaient de tous leurs yeux ce spectacle terrible, et ils écoutaient de toutes leurs oreilles ce chant qui semblait à la fois tomber des étoiles et monter des profondeurs de la terre.

Vendredi cueillait des fleurs entre les rochers du chaos lorsqu'il aperçut un point blanc à l'horizon, du côté de l'est. Aussitôt, il descendit en courant prévenir Robinson qui achevait de se raser la barbe. Robinson était peut-être ému, mais il n'en laissa rien paraître.

— Nous allons avoir de la visite, dit-il simplement, raison de plus pour que j'achève ma toilette.

Au comble de l'excitation, Vendredi monta au sommet d'un arbre. Il avait emporté la longue-vue qu'il braqua sur le navire devenu nettement visible. C'était une goélette à hunier, un fin voilier, taillée pour la course avec ses deux hauts mâts dont le premier — le mât de misaine — portait une voile carrée, le second, une voile triangulaire. Elle filait bien ses dix à douze nœuds et se dirigeait droit vers la côte marécageuse de l'île. Vendredi se hâta d'aller donner ces précisions à Robinson qui passait un gros peigne d'écaille dans sa crinière rouge.

Puis il regrimpa dans son observatoire. Le commandant avait dû se rendre compte que la côte n'était pas abordable de ce côté-là de l'île, car le navire virait de bord. Puis il réduisit sa toile et courut à petites voiles le long du rivage.

Vendredi alla avertir Robinson que le visiteur doublait les dunes et jetterait l'ancre très probablement dans la baie du Salut.

Il importait avant toute chose de reconnaître sa nationalité. Robinson s'avança jusqu'au dernier rideau d'arbres bordant la plage et braqua sa longue-vue sur le navire qui stoppait à deux encablures du rivage. Quelques instants plus tard, on entendit la chaîne de l'ancre tinter en se déroulant.

Robinson ne connaissait pas ce type de bateau qui devait être récent, mais il reconnut l'*Union Jack,* le drapeau anglais, qui flottait à l'arrière. L'équipage avait mis une chaloupe à la mer, et déjà les avirons battaient les flots.

Robinson était très ému. Il ne savait plus depuis combien de temps il était dans l'île, mais il avait l'impression d'y avoir passé la plus grande partie de sa vie. On raconte qu'avant de mourir un homme revoit souvent tout son passé étalé devant lui comme un panorama. C'était un peu le cas de Robinson qui revoyait le naufrage, la construction de *L'Évasion,* son échec, la grande misère de la souille, l'exploitation frénétique de l'île, puis l'arrivée de Vendredi, les travaux que Robinson lui avait imposés, l'explosion, la destruction de toute son œuvre, et ensuite c'était une longue vie heureuse et douce, pleine de jeux violents et sains et des inventions extraordinaires de Vendredi. Est-ce que tout cela allait prendre fin?

Dans la chaloupe s'amoncelaient les petits tonneaux destinés à renouveler la provision d'eau

douce du navire. A l'arrière, on voyait debout, le chapeau de paille incliné sur une barbe noire, un homme botté et armé, le commandant sans doute.

L'avant de l'embarcation racla le fond et se souleva avant de s'immobiliser. Les hommes sautèrent dans l'écume des vagues et tirèrent la chaloupe sur le sable pour la mettre hors de portée de la marée montante. La barbe noire tendit la main à Robinson et se présenta.

— William Hunter, de Blackpool, commandant de la goélette le *Whitebird*.

— Quel jour sommes-nous? lui demanda Robinson.

Étonné, le commandant se tourna vers l'homme qui le suivait et qui devait être son second.

— Quel jour sommes-nous, Joseph?

— Le samedi 22 décembre 1787, Sir, répondit-il.

— Le samedi 22 décembre 1787, répéta le commandant tourné vers Robinson.

Le cerveau de Robinson travailla à vive allure. Le naufrage de *La Virginie* avait eu lieu le 30 septembre 1759. Il y avait donc exactement vingt-huit ans, deux mois et vingt-deux jours. Il ne pouvait imaginer qu'il soit depuis si longtemps dans l'île! Malgré tout ce qui s'était passé depuis son arrivée sur cette terre déserte, cette durée de plus de vingt-huit années lui paraissait impossible à faire tenir entre le naufrage de *La Virginie* et l'arrivée du *Whitebird*. Et il y avait autre chose encore : il calculait que si l'on était en 1787, comme le disaient les nouveaux venus, il aurait exactement cinquante ans. Cinquante ans! L'âge d'un vieux bonhomme en somme. Alors que grâce à la vie libre et heureuse qu'il menait à Speranza, grâce surtout à Vendredi, il se sentait de plus en plus jeune! Il décida en tout cas de cacher aux arrivants la date véritable de son naufrage, de peur de passer pour un menteur.

— J'ai été jeté sur cette côte alors que je voyageais à bord de la galiote *La Virginie,* commandée par Pieter van Deyssel, de Flessingue. Je suis le seul rescapé de la catastrophe. Le choc m'a malheureusement fait perdre en partie la mémoire, et notamment je n'ai jamais pu retrouver la date à laquelle il a eu lieu.

— Je n'ai jamais entendu parler de ce navire dans aucun port, observa Hunter, mais il est vrai que la guerre avec les Amériques a bouleversé toutes les relations maritimes.

Robinson ne savait évidemment pas que les colonies anglaises de l'Amérique du Nord avaient combattu l'Angleterre pour conquérir leur indépendance, et qu'il en était résulté une guerre qui avait duré de 1775 à 1782. Mais il évita de poser des questions qui auraient trahi son ignorance.

Cependant Vendredi aidait les hommes à décharger les tonnelets et il les guidait vers le plus proche point d'eau. Robinson comprit que si l'Indien s'empressait si gentiment au service des matelots, c'était dans l'espoir qu'ils l'emmèneraient le plus tôt possible à bord du *Whitebird.* Lui-même devait s'avouer qu'il brûlait d'envie de visiter ce fin voilier, merveilleusement construit pour battre tous les records de vitesse et qui devait être pourvu des derniers perfectionnements de la marine à voile. En attendant, le commandant Hunter, le second Joseph et tous les hommes qu'il voyait s'affairer autour de lui paraissaient laids, grossiers, brutaux et cruels, et il se demandait s'il arriverait à reprendre l'habitude de vivre avec ses semblables.

Il avait entrepris de montrer à Hunter les ressources de l'île en gibier et en aliments frais, comme le cresson et le pourpier grâce auxquels les équipages en mer évitent d'attraper le scorbut. Les hommes grimpaient le long des troncs à écailles pour faire tomber d'un coup de sabre les choux palmistes, et on entendait les rires de ceux qui poursuivaient les chevreaux avec des cordes. Cela lui faisait mal de voir ces brutes avinées mutiler les arbres et massacrer les bêtes de son île, mais il ne voulait pas être égoïste envers les premiers hommes qu'il revoyait après tant d'années. A l'emplacement où s'élevait autrefois la banque de Speranza, de hautes herbes se creusaient sous le vent avec un murmure soyeux. Un matelot y trouva coup sur coup deux pièces d'or. Il ameuta aussitôt ses compagnons à grands cris, et après des disputes violentes, on décida d'incendier toute la prairie pour faciliter les recherches. Robinson ne put s'empêcher de penser que cet or était à lui en somme, et que les bêtes allaient être privées par cet incendie de la meilleure pâture de toute l'île. Chaque nouvelle pièce trouvée était l'occasion de bagarres souvent sanglantes qui se livraient au couteau ou au sabre.

Il voulut détourner son attention de ce spectacle en faisant parler Joseph, le second. Celui-ci lui décrivit aussitôt avec enthousiasme la traite des Noirs qui fournissait la main-d'œuvre des plantations de coton des États du Sud de l'Amérique. Les Noirs étaient enlevés en Afrique sur des bateaux spéciaux où ils étaient entassés comme de la marchandise. Aux États-Unis, on les vendait et on rechargeait le bateau avec du coton, du sucre, du café et de l'indigo. C'était un fret de retour idéal qui s'écoulait avantageusement au passage dans les ports européens. Puis Hunter prit la parole et raconta en riant comment, au cours de la guerre, il avait coulé un transport de troupes français envoyé en renfort aux insurgés américains. Tous ces hommes s'étaient noyés sous ses yeux. Robinson avait l'impression d'avoir soulevé une pierre et d'observer des cloportes noirs et grouillants.

Une première fois la chaloupe avait regagné le bord du *Whitebird* pour y déposer tout un chargement de fruits, de légumes et de gibier au milieu desquels se débattaient des chevreaux ligotés. Les hommes attendaient les ordres du commandant avant d'effectuer un second voyage.

— Vous me ferez bien l'honneur de déjeuner avec moi, dit-il à Robinson.

Et sans attendre sa réponse, il ordonna qu'on embarque l'eau douce et qu'on revienne ensuite pour le mener à bord avec son invité.

Lorsque Robinson sauta sur le pont du *Whitebird,* il y fut accueilli par un Vendredi radieux que la chaloupe avait amené lors de son précédent voyage. L'Indien avait été adopté par l'équipage et paraissait connaître le navire comme s'il y était né. Robinson le vit s'élancer dans les haubans, se hisser sur la hune et repartir de là sur les marchepieds de la vergue, se balançant à quinze mètres au-dessus des vagues avec un grand rire heureux. Il se souvint alors que Vendredi aimait tout ce qui avait rapport à l'air — la flèche, le cerf-volant, la harpe éolienne — et que ce beau voilier svelte, léger et blanc était certainement la chose aérienne la plus merveilleuse qu'il eût jamais vue. Il éprouva un peu de tristesse en constatant combien l'Indien paraissait plus heureux que lui de l'arrivée du *Whitebird*.

Il avait fait quelques pas sur le pont, lorsqu'il distingua une petite forme humaine attachée demi-nue au pied du mât de misaine. C'était un enfant qui pouvait avoir une douzaine d'années. Il était maigre comme un oiseau déplumé et tout son dos était strié de marques sanglantes. On ne voyait pas son visage, mais ses cheveux formaient une masse rouge qui retombait sur ses épaules minces et parsemées de taches de rousseur. Robinson ralentit le pas en le voyant.

— C'est Jean, notre mousse, lui dit le commandant.

Puis il se tourna vers Joseph.

— Qu'a-t-il encore fait?

Aussitôt une face rougeaude coiffée d'une toque de cuisinier surgit de l'écoutille de la cambuse, comme un diable qui sort d'une boîte.

— Je ne peux rien en tirer, dit le maître coq. Ce matin il m'a gâté un pâté de poule en le salant trois fois par distraction. Il a eu ses douze coups de garcette. Il en aura d'autres s'il n'apprend pas à faire attention.

Et la tête disparut aussi soudainement qu'elle avait surgi.

— Détache-le, dit le commandant au second. Il faut qu'il nous serve au carré.

Robinson déjeuna avec le commandant et le second. Il n'entendit plus parler de Vendredi qui devait manger avec l'équipage. Il eut du mal à venir à bout des terrines et des viandes en sauce, violemment épicées, dont on remplit plusieurs fois son assiette. Il n'avait plus l'habitude de ces nourritures lourdes et indigestes, lui qui ne mangeait plus que des choses légères, fraîches et naturelles depuis si longtemps.

C'était le mousse Jean qui servait à table, à demi enfoui dans un immense tablier blanc. Robinson chercha son regard sous la masse de ses cheveux fauves, mais il était si absorbé par sa peur de commettre quelque maladresse qu'il paraissait ne pas le voir. Le commandant était sombre et silencieux. C'était Joseph qui entretenait la conversation en expliquant à Robinson les dernières acquisitions de la technique de la voile et de la science de la navigation.

Après le déjeuner, Hunter se retira dans sa cabine, et Joseph entraîna Robinson sur la passerelle de commandement. Il voulait lui montrer un instrument récemment introduit dans la navigation, le sextant, qui servait à mesurer la hauteur du soleil au-dessus de l'horizon. Tout en écoutant la démonstration enthousiaste de Joseph, Robinson manipula avec plaisir le bel objet de cuivre, d'acajou et d'ivoire qui avait été extrait de son coffret.

Ensuite Robinson alla s'étendre sur le pont pour faire la sieste comme il en avait l'habitude. Au-dessus de lui, la pointe du mât de hune décrivait des cercles irréguliers dans un ciel parfaitement bleu où s'était égaré un croissant de lune translucide. En tournant la tête, il voyait Speranza, une bande de sable blond, puis un amas de verdure, enfin l'entassement du chaos rocheux.

C'est alors qu'il comprit qu'il ne quitterait jamais l'île. Ce *Whitebird* avec ses hommes, c'était l'envoyé d'une civilisation où il ne voulait pas retourner. Il se sentait jeune, beau et fort à condition de demeurer à Speranza avec Vendredi. Sans le savoir, Joseph et Hunter lui avaient appris que, pour eux, il avait cinquante ans. S'il s'en allait avec eux, il serait un vieil homme aux cheveux gris, à l'allure digne, et il deviendrait bête et méchant comme eux. Non, il resterait fidèle à la vie nouvelle que lui avait enseignée Vendredi.

Lorsqu'il fit part de sa décision de demeurer sur l'île, seul Joseph manifesta de la surprise. Hunter n'eut qu'un sourire glacé. Au fond il était peut-être soulagé de n'avoir pas deux passagers supplémentaires à embarquer sur un navire étroit où la place était chichement distribuée.

— Je considère tout le ravitaillement et l'or que nous avons embarqués, comme l'effet de votre générosité, lui dit-il courtoisement. En souvenir de notre passage à Speranza, permettez-moi de vous offrir notre petite yole de repérage qui s'ajoute inutilement à nos deux chaloupes de sauvetage réglementaires.

C'était un canot léger et de bonne tenue, idéal pour un ou deux hommes par temps calme. Il remplacerait avantageusement la vieille pirogue de Vendredi. C'est dans cette embarcation que Robinson et son compagnon regagnèrent l'île comme le soir tombait.

En reprenant pied sur ses terres, Robinson éprouva un immense soulagement. Le *Whitebird* et ses hommes avaient apporté le désordre et la destruction dans l'île heureuse où il avait mené une vie idéale avec Vendredi. Mais qu'importait? Aux premières lueurs de l'aube, le navire anglais lèverait l'ancre et reprendrait sa place dans le monde civilisé. Robinson avait fait comprendre au commandant qu'il ne souhaitait pas que l'existence et la position de son île sur la carte fussent révélées par l'équipage du *Whitebird*. Le commandant avait promis, et Robinson savait qu'il respecterait son engagement. Robinson et Vendredi avaient encore de belles et longues années de solitude devant eux.

L'aube était pâle encore quand Robinson descendit de son araucaria. Il détestait les heures tristes et blêmes qui précèdent le lever du soleil, et il avait l'habitude d'attendre ses premiers rayons pour se lever. Quant à Vendredi, il faisait toujours la grasse matinée. Mais cette nuit-là, il avait mal dormi. C'était sans doute ce repas indigeste qu'il avait pris à bord du *Whitebird,* ces viandes, ces sauces et ce vin qui lui avaient donné un sommeil lourd, entrecoupé de réveils brusques et de cauchemars.

Il fit quelques pas sur la plage. Comme il s'y attendait, le *Whitebird* avait disparu. L'eau était grise et le ciel décoloré. Une rosée abondante alourdissait les plantes. Les oiseaux observaient un silence de mort. Robinson sentit une grande tristesse l'envahir. Dans quelques minutes, dans une heure au plus, le soleil se lèverait et rendrait la vie et la joie à toute l'île. En attendant, Robinson décida d'aller regarder Vendredi dormir dans son hamac. Il ne le réveillerait pas, mais sa présence le réconforterait.

Le hamac était vide. Ce qui était plus surprenant, c'était la disparition des menus objets dont Vendredi agrémentait ses siestes, miroirs, flageolets, sarbacanes, fléchettes, plumes, balles, etc. La chevrette Anda avait disparu, elle aussi. Une peur panique envahit brusquement Robinson. Et si Vendredi était parti avec le *Whitebird?* Il courut vers la plage : la yole et la vieille pirogue étaient là, tirées sur le sable sec. Si Vendredi avait voulu rejoindre la goélette anglaise, il aurait emprunté l'une de ces deux embarcations et il l'aurait abandonnée en mer ou hissée à bord. Pourquoi aurait-il fait cette traversée nocturne à la nage?

Alors Robinson commença à battre toute l'île en appelant Vendredi. Il courut d'une plage à l'autre, des falaises aux dunes, de la forêt aux marécages, du chaos rocheux aux prairies, de plus en plus désespéré, trébuchant et criant, de plus en plus convaincu que Vendredi l'avait trahi et abandonné. Mais pourquoi, pourquoi?

Alors il se souvint de l'admiration de Vendredi pour le beau bateau blanc, et comme il se balançait heureusement en riant d'une vergue à l'autre au-dessus des flots. C'était cela : Vendredi avait été séduit par ce nouveau jouet, plus magnifique que tous ceux qu'il avait construits lui-même dans l'île.

Pauvre Vendredi! Car Robinson se souvenait aussi des horribles détails que Joseph, le second, lui avait donnés sur la traite des Noirs qui se pratiquait entre l'Afrique et les plantations de coton d'Amérique. Sans doute le naïf Indien était-il déjà au fond de la cale du *Whitebird,* dans les fers des esclaves...

Robinson était accablé de douleur. Il continuait ses recherches, mais il ne trouvait que des souvenirs qui achevaient de lui crever le cœur, la harpe éolienne et le cerf-volant, brisés par les hommes de la goélette, et tout à coup il sentit quelque chose de dur sous ses pieds. C'était le collier de Tenn, rongé par les moisissures. Alors Robinson appuya son front contre le tronc d'un eucalyptus, et il pleura toutes les larmes de son corps.

Quand il releva la tête, il vit à quelques mètres de lui une demi-douzaine de vautours qui l'observaient de leurs petits yeux rouges et cruels. Robinson voulait mourir, les vautours l'avaient deviné, mais justement, il ne voulait pas que son corps fût déchiqueté par les charognards. Il se souvint du fond de la grotte où il avait passé de si bonnes heures. Sans doute l'explosion avait bouché l'entrée de la grande caverne, mais il se sentait si diminué, si faible et rapetissé qu'il était bien sûr de trouver un passage, une fente entre deux blocs. Alors il descendrait tout au fond du trou qui était doux et tiède, il s'accroupirait, la tête sur les genoux, les pieds croisés, et il oublierait tout, il s'endormirait pour toujours à l'abri des vautours et des autres animaux.

Il s'achemina donc à petits pas vers le chaos rocheux qui se dressait à la place de la grotte. A force de chercher, il trouva en effet une ouverture étroite comme une chatière, mais il était tellement recroquevillé par le chagrin qu'il était sûr de pouvoir s'y glisser. Il passa la tête à l'intérieur pour essayer de voir si le passage conduisait bien au fond de la grotte. A ce moment-là il entendit quelque chose qui remuait à l'intérieur. Une pierre roula. Robinson recula. Un corps obstrua la fente et s'en libéra par quelques contorsions. Et voici qu'un enfant se tenait devant Robinson, le bras droit replié sur son front pour se protéger de la lumière ou en prévision d'une gifle. Robinson était abasourdi.

— Qui es-tu? Qu'est-ce que tu fais là? lui demanda-t-il.

— Je suis le mousse du *Whitebird,* répondit l'enfant. Je voulais m'enfuir de ce bateau où j'étais malheureux. Hier pendant que je servais à la table du commandant, vous m'avez regardé avec bonté. Ensuite j'ai entendu que vous ne partiez pas. J'ai décidé de me cacher dans l'île et de rester avec vous.

— Et Vendredi? As-tu vu Vendredi? insista Robinson.

— Justement! Cette nuit, je m'étais glissé sur le pont et j'allais me mettre à l'eau pour essayer de nager jusqu'à la plage, quand j'ai vu un homme aborder en pirogue. C'était votre serviteur métis. Il est monté à bord avec une petite chèvre blanche. Il est entré chez le second qui paraissait l'attendre. J'ai compris qu'il resterait sur le bateau. Alors j'ai nagé jusqu'à la pirogue et je me suis hissé dedans. Et j'ai pagayé jusqu'à la plage.

— C'est pour cela que les deux bateaux sont là! s'exclama Robinson.

— Je me suis caché dans les rochers, poursuivait le mousse. Maintenant le *Whitebird* est parti sans moi, et je vivrai avec vous!

— Viens avec moi, lui dit Robinson.

Il prit le mousse par la main, et, contournant les blocs, il commença à gravir la pente menant au sommet du piton rocheux qui dominait le chaos. Il s'arrêta à mi-chemin et regarda son nouvel ami. Un pâle sourire éclaira le visage maigre, semé de tâches de rousseur. Il ouvrit la main et regarda la main qui y était blottie. Elle était mince, faible, mais labourée par les travaux grossiers du bord.

Du haut du piton rocheux, on voyait toute l'île qui était encore noyée dans la brume. Sur la plage, le canot et la pirogue commençaient à tourner, atteints par les vagues de la marée montante. Très loin au nord sur la mer, on distinguait un point blanc qui fuyait vers l'horizon : le *Whitebird*.

Robinson tendit le bras dans sa direction.

— Regarde-le bien, dit-il. Tu ne verras peut-être jamais plus cela : un navire au large des côtes de Speranza.

Le point s'effaçait peu à peu. Enfin il disparut. C'est alors que le soleil se leva. Une cigale chanta. Une mouette se laissa tomber sur l'eau et s'éleva à grands coups d'ailes, un petit poisson dans le bec. Les fleurs ouvraient leurs calices, les unes après les autres.

Robinson sentait la vie et la joie qui entraient en lui et le regonflaient. Vendredi lui avait enseigné la vie sauvage, puis il était parti. Mais Robinson n'était pas seul. Il avait maintenant ce petit frère dont les cheveux — aussi rouges que les siens — commençaient à flamboyer au soleil. Ils inventeraient de nouveaux jeux, de nouvelles aventures, de nouvelles victoires. Une vie toute neuve allait commencer, aussi belle que l'île qui s'éveillait dans la brume à leurs pieds.

— Comment t'appelles-tu? demanda Robinson au mousse.

— Je m'appelle Jean Neljapaev. Je suis né en Estonie, ajouta-t-il comme pour excuser ce nom difficile.

— Désormais, lui dit Robinson, tu t'appelleras *Dimanche*. C'est le jour des fêtes, des rires et des jeux. Et pour moi tu seras pour toujours l'enfant du dimanche.

Michel Tournier

Vendredi
ou la vie sauvage

Supplément réalisé par
Christian Biet,
Jean-Paul Brighelli,
Claude Eterstein
et Jean-Luc Rispail

Illustrations de Bruno Pilorget

SOMMAIRE

POURRIEZ-VOUS VIVRE SUR UNE ÎLE DÉSERTE ?

Vous le saurez en répondant aux questions de ce test. Comptez ensuite le nombre de ○ , □, ☆ obtenus et consultez les solutions figurant à la fin de ce livre. Vous découvrirez alors si la vie sauvage vous convient... ou non.

1. *Sur la plage en été :*
A. Vous vous enduisez de crème solaire pour mieux bronzer ☆
B. Vous restez de longues heures à contempler la mer □
C. Vous fabriquez pour vos amis des colliers d'étoiles de mer ○

2. *Dans un grand magasin :*
A. Vous recherchez avec anxiété le dernier accessoire à la mode ☆
B. Réfugié au rayon librairie, vous lisez des bandes dessinées en attendant que vos parents ou amis aient fini leurs courses □
C. Vous essayez devant une glace tous les chapeaux et les perruques ○

3. *Votre plat préféré est :*
A. Le gigot haricots à la française ☆
B. Le sorbet aux fruits de la passion □
C. Le lézard farci à l'ananas ○

4. *Votre sport préféré est :*
A. Le golf ☆
B. La voile □
C. Le tir à l'arc ○

5. *En vacances vous aimez :*
A. Vous promener, que ce soit en ville ou à la campagne ☆
B. L'atmosphère des ports et les sirènes des bateaux en partance □
C. Dormir comme une marmotte dans un hamac ○

6. *En classe :*
A. Vous prenez des notes consciencieusement ☆
B. Vous regardez souvent par la fenêtre □
C. Vous dessinez des nuages de toutes les couleurs ○

7. *Au cinéma, vous préférez :*
A. Les films policiers ☆
B. Les films d'évasion où l'on voyage □
C. Les films comiques ○

Solutions page 189

1
AVEZ-VOUS BIEN LU
« VENDREDI
OU LA VIE SAUVAGE »

C'est ce que vous allez pouvoir vérifier en répondant aux questions ci-dessous. Bien entendu, vous n'aurez pas le droit de consulter le texte si vous hésitez sur une réponse ; vous ne devrez compter que sur votre mémoire. Reportez-vous ensuite à la page des solutions.

1. *L'aventure de Robinson et de Vendredi se déroule :*
A. Au XVIe siècle
B. Au XVIIIe siècle
C. Au XIXe siècle

2. *La pipe du capitaine van Deyssel est :*
A. En bois
B. En terre
C. En porcelaine

3. *Robinson construit* L'Évasion *pour rejoindre la côte :*
A. Du Chili
B. Du Brésil
C. De la Californie

4. *Robinson enduit la coque de son bateau :*
A. De goudron
B. De glu
C. De vernis

5. *Robinson dans un rêve voit sa sœur à bord :*
A. D'un galion espagnol
B. D'une caravelle
C. D'une goélette

6. *Robinson écrit son journal à l'encre :*
A. Bleue
B. Noire
C. Rouge

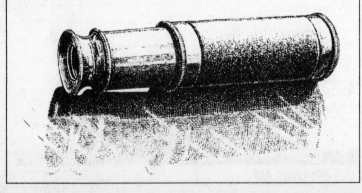

7. *Une clepsydre est :*
A. Une horloge à eau
B. Une longue-vue
C. Un calendrier

8. *Robinson se nomme :*
A. Roi de Speranza
B. Gouverneur de l'île
C. Commandant de l'île

9. *Robinson met ses récoltes à l'abri :*
A. Dans sa maison
B. Dans une grotte
C. Dans une grange

10. *Pour descendre au fond de la grotte, Robinson se frotte avec :*
A. De l'huile
B. De la terre
C. Du lait caillé

11. *Vendredi dort souvent :*
A. Par terre
B. Dans un hamac
C. Dans un arbre

12. *Vendredi entreprend d'apprivoiser :*
A. Des rats
B. Une tortue
C. Un perroquet

13. *Au moment de l'explosion de la grotte :*
A. Tenn réussit à s'échapper
B. Tenn est blessé
C. Tenn meurt

14. *Robinson sculpte une statue de Vendredi :*
A. En bois
B. Dans le sable
C. En terre

15. *Pour faire cuire les oiseaux, Vendredi les met :*
A. Dans de l'eau bouillante
B. Dans de l'argile
C. Sur une broche

16. *Pour Vendredi, le « grand chagrin de l'île », c'est :*
A. La pluie
B. La mer
C. La nuit

17. *Vendredi se bat avec le roi des chèvres :*
A. Une fois
B. Deux fois
C. Trois fois

18. *Avec les cornes du bouc, Vendredi fabrique :*
A. Un cerf-volant
B. Une lyre
C. Une harpe

19. *Quand arrive le* Whitebird, *Robinson a déjà passé sur l'île :*
A. Vingt-huit ans
B. Dix-huit ans
C. Huit ans

20. *Le prénom de Dimanche est :*
A. Paul
B. Jacques
C. Jean

Solutions page 189

2
AU FIL DU TEXTE
ROBINSON NAUFRAGÉ (p. 9-11)

Robinson

Robinson Crusoé, le héros du roman de Daniel Defoe, est un personnage si célèbre que son prénom est parfois employé comme nom commun. Savez-vous ce qu'est un « Robinson » ? (Essayez d'en donner une définition en quelques lignes.)
- Au fait, avez-vous lu le roman de Daniel Defoe ?
- Savez-vous si le personnage de Robinson est imaginaire ou s'il est inspiré d'une histoire réelle ?
Tracez-en un portrait en une dizaine de lignes.

De « Robinson Crusoé » à « Vendredi ou la Vie sauvage »

Voici un extrait du journal de Robinson dans le roman de Daniel Defoe :

« 30 septembre 1659,

Moi, misérable Robinson Crusoé, après avoir fait naufrage au large durant une horrible tempête, tout l'équipage étant noyé, moi-même étant à demi mort, j'abordai cette île infortunée, que je nommai l'île du Désespoir. (Le naufrage a eu lieu dans l'Atlantique à l'embouchure de l'Orénoque.) »

Notez, dans le tableau suivant, les caractéristiques propres à chaque roman.

- Les différences observées vous paraissent-elles importantes ? (Pour en savoir plus, lisez ou relisez *Robinson Crusoé*.)

	Robinson Crusoé	*Vendredi ou la Vie sauvage*
Nom du héros		
Date du naufrage		
Circonstances du naufrage		
Nom donné à l'île		
A quelle personne (1re, 3e) l'histoire est-elle racontée ?		

L'époque des grands voyages

« On était au milieu du XVIIIe siècle », précise l'auteur dans les premières pages du récit.

1. Recherchez dans un livre d'histoire une évocation des grands navigateurs de cette époque (Bougainville, La Pérouse...)
- Quels périples ont-ils accomplis ?
- Que recherchaient-ils ?

2. Dessinez une carte du voyage de *La Virginie* et essayez de situer Speranza.

3. Pourquoi Robinson est-il parti pour l'Amérique ? Quelle aurait pu être sa vie s'il n'avait pas fait naufrage ?

La nature déchaînée

« L'avantage des tempêtes, c'est qu'elles vous libèrent de tout souci », affirme le capitaine van Deyssel.
- Pour quelle raison, à son avis ?
- Qu'est-ce qui, selon lui, définit le voyage et l'aventure ? Relevez tous les adjectifs qui suggèrent la « sauvagerie » de la tempête. Utilisez-les à votre tour pour raconter une traversée de l'Atlantique dans un petit avion.

LE PRISONNIER DANS L'ÎLE
(p. 13-29)

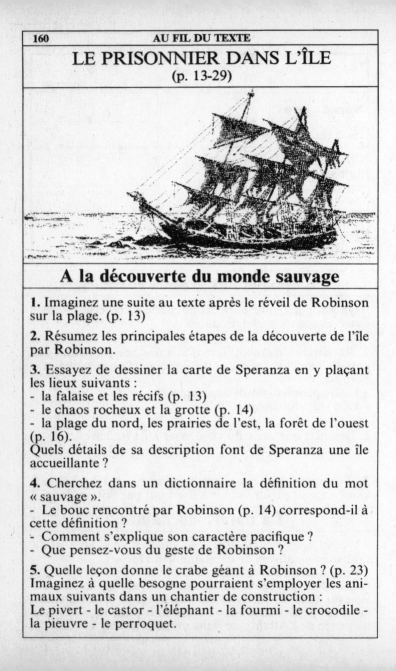

A la découverte du monde sauvage

1. Imaginez une suite au texte après le réveil de Robinson sur la plage. (p. 13)

2. Résumez les principales étapes de la découverte de l'île par Robinson.

3. Essayez de dessiner la carte de Speranza en y plaçant les lieux suivants :
- la falaise et les récifs (p. 13)
- le chaos rocheux et la grotte (p. 14)
- la plage du nord, les prairies de l'est, la forêt de l'ouest (p. 16).
Quels détails de sa description font de Speranza une île accueillante ?

4. Cherchez dans un dictionnaire la définition du mot « sauvage ».
- Le bouc rencontré par Robinson (p. 14) correspond-il à cette définition ?
- Comment s'explique son caractère pacifique ?
- Que pensez-vous du geste de Robinson ?

5. Quelle leçon donne le crabe géant à Robinson ? (p. 23)
Imaginez à quelle besogne pourraient s'employer les animaux suivants dans un chantier de construction :
Le pivert - le castor - l'éléphant - la fourmi - le crocodile - la pieuvre - le perroquet.

Tentatives d'évasion

1. *Les premiers jours sur l'île*
Robinson entretient un feu pour signaler sa présence sur l'île. (p. 18-19)
- Par quels autres moyens pourrait-il avertir de sa présence des bateaux passant au large ?
- Quelle idée hante Robinson les premiers jours de sa présence sur l'île ?
- Quels obstacles rencontre-t-il ?
- Comment les surmonte-t-il ?

2. *Les objets de* La Virginie
Classez les objets découverts par Robinson à bord de *La Virginie* en quatre catégories selon qu'ils vont lui permettre de survivre, de détruire, de construire, de réfléchir et de rêver.
- A la place de Robinson, quelle découverte vous aurait le plus réjoui ?
- Quels autres objets auriez-vous aimé posséder sur « votre » île déserte ?

3. *La construction de* L'Evasion
Recherchez (p. 22-23) les phrases qui illustrent les qualités dont Robinson fait preuve en construisant *L'Evasion* (patience, habileté, ingéniosité, persévérance).
Cependant, malgré toutes ses qualités, Robinson aboutit à un échec.
- Quelles en sont les raisons ?
- Comment réagit-il face à cet échec ?
- Auriez-vous été plus ingénieux que Robinson ? (Essayez d'imaginer une solution techniquement réalisable, avec les moyens dont il dispose, pour mettre *L'Evasion* à flot.)

4. *Robinson et Noé*
- Qu'y a-t-il de commun entre l'histoire de Robinson et celle de Noé, le patriarche de la Bible ? Faites un court récit de la légende de l'arche.

Le rêveur pris au piège

1. *Qu'est-ce qu'une souille ?* (p. 25)

a) Cherchez des mots de la même famille.
Quelle nuance contiennent-ils ?
Pour quelles raisons Robinson passe-t-il ses journées dans la souille ?

b) Classez les mots suivants en deux séries de termes opposés selon qu'ils évoquent la vie de Robinson dans la souille ou hors de la souille : l'animalité - la conscience - le courage - l'oisiveté - l'humanité - la paresse - l'oubli - le travail.

2. *Qu'est-ce qu'une « hallucination » ?* (p. 28)
- Comment les hallucinations s'enchaînent-elles dans l'esprit fatigué de Robinson ?
- Quels désirs révèle chacun de ces rêves ? (Le petit bébé au berceau, p. 26 ; le galion espagnol, p. 27 ; la jeune fille au sourire triste, p. 27.)

3. *Robinson, malade de son attente et de sa solitude, décide finalement de tourner le dos à la mer.*
- Pour quelle raison ?
- Quel autre espace va-t-il tenter de conquérir ?

Imaginez qu'un jour de grande fatigue vous ayez eu une hallucination. Décrivez les images de votre rêve.

LE GOUVERNEUR DE SPERANZA
(p. 30-57)

La « civilisation » de l'île

1. *« Prendre son propre destin en main »* (p. 27)
Robinson comprend que ses hallucinations sont un avertissement, qu'il lui faut se ressaisir, travailler. Aussi entreprend-il de civiliser l'île.
- Quelles sont les différentes étapes de sa prise de possession de l'île ?
Exemple : « Robinson explora l'île méthodiquement... Il établit son dépôt général dans la grotte. » (p. 30)
Relevez d'autres phrases caractéristiques de sa démarche d'homme civilisé.

2. *Maîtriser l'espace et le temps*

a) Classez les actions suivantes en deux catégories selon qu'elles permettent à Robinson de maîtriser l'espace ou le temps :
- écrire un journal (p. 31)
- construire un enclos pour les chèvres (p. 31)
- créer un champ cultivé (p. 32)
- économiser sa récolte pour une prochaine semence (p. 34)
- se construire une vraie maison (p. 34)
- fabriquer une horloge (p. 35)
- construire une forteresse (p. 43)

b) Ecrivez une page du journal de Robinson que vous aurez soin de dater et dans laquelle vous rapporterez ses activités et éventuellement ses réflexions.

c) Qu'est-ce qu'une clepsydre ?
- Quel autre moyen Robinson utilise-t-il pour mesurer le temps ?
- Comment expliquez-vous ce souci du temps ?

3. *Robinson et les animaux*
Robinson pour « civiliser l'île » veut domestiquer les animaux.
- Quels sont ceux qui lui résistent, qui le menacent ?
- Quels sont ceux qu'il détruit, qu'il utilise ?
- Quel est son animal favori ?

4. *Recréer un monde familier*
Civiliser Speranza, c'est, pour Robinson, construire et
organiser un monde à l'image de l'Europe qu'il a quittée.
Comment s'y prend-il pour recréer :
- une économie
- une administration et un gouvernement
- une justice
- une vie sociale

5. *Us et coutumes*
- Quelles habitudes, quelles coutumes européennes
paraissent « déplacées » dans le cadre de l'île ?
- Par quels événements Robinson est-il rappelé à la réalité
de la vie sauvage ?
Le sacrifice humain décrit pages 41-42 apparaît, lui aussi,
comme une coutume très ancienne. Renseignez-vous sur
la tradition du « bouc émissaire » et recherchez d'autres
coutumes comparables chez les Egyptiens, les Grecs ou les
Romains.

« Un roi sans divertissement »

« C'est très difficile de rester un homme quand personne
n'est là pour vous aider ! » écrit Michel Tournier (p. 37).
Recherchez deux ou trois passages montrant que Robinson ne supporte pas la solitude.

1. *Les dangers de la solitude*
Parmi les conséquences de sa solitude, laquelle vous
paraît la plus dangereuse ? (Expliquez les raisons de votre
choix.)
- le découragement (p. 33)
- l'ardeur belliqueuse (p. 33)
- l'avarice (p. 34)
- la crainte de perdre l'usage de la parole (p. 38)
- le désir de revenir vers l'enfance (p. 55-56)

2. *Un mal des temps modernes ?*
On a pu dire que la solitude était un mal des sociétés modernes : qu'en pensez-vous ? Essayez de chercher des illustrations précises de la solitude de l'homme moderne et de ses tentatives pour y échapper.

3. *Un regard sur sa propre image*
- Pourquoi Robinson est-il surpris par son visage dans le miroir ? (p. 49)
- Comment réapprend-il à sourire ?
Imaginez les réflexions de Tenn en voyant son maître se regarder dans la glace.

4. *La grotte*

a) Pourquoi la grotte permet-elle à Robinson de combattre sa solitude ? (p. 53-56) En quoi est-elle bien différente de la souille ?

b) Comparez sa vie dans la grotte et le monde que Robinson doit affronter à l'extérieur de celle-ci et relevez (p. 55-56) les comparaisons qui font de la grotte un endroit étonnant et merveilleux.

c) A votre tour, décrivez l'endroit où vous rêvez parfois de vous réfugier en utilisant trois comparaisons inspirées du style de l'auteur.

VENDREDI
OU L'IMPOSSIBLE SERVITUDE
(p. 58-76)

« Maître et serviteur »

1. *La rencontre*
Racontez en la mimant la rencontre entre Robinson et Vendredi.
- En quoi le second contracte-t-il une « dette » envers le premier ?

Robinson et Vendredi, réfugiés dans la forteresse, réagissent de façon très différente. Relevez (p. 65-66) les expressions qui décrivent l'attitude de chacun.
- Pourquoi, à votre avis, se comportent-ils ainsi ?

Dès le lendemain, Robinson (p. 66) et Vendredi (p. 67) éclatent de rire.
- Pour quelles raisons ?

2. *Le règne de Robinson*
Pour justifier la civilisation qu'il a créée sur Speranza, Robinson a besoin d'un spectateur et d'un serviteur. Montrez que Vendredi remplit ce double rôle et établissez la liste de toutes les tâches qu'il doit exécuter sous le règne de Robinson. (p. 68-71)
- Quelle place tient l'argent dans ce nouveau système ?
- Pourquoi Vendredi n'approuve-t-il pas cette île « trop bien administrée » ? (p. 72)

La désobéissance

1. *Les « bêtises » de Vendredi*
a) Vendredi supporte mal la servitude... Classez ses actions en deux catégories, selon qu'elles correspondent ou s'opposent aux vues de Robinson (p. 68-76).

b) Imaginez quelle nouvelle « bêtise » pourrait commettre Vendredi. Vous pouvez par exemple continuer le récit à partir de cette phrase (p. 73) : « Un autre jour, Vendredi disparut pendant plusieurs heures... »

2. *Le serviteur devient le maître*
a) S'il irrite parfois son maître, Vendredi lui apprend aussi des techniques utiles. C'est alors lui qui devient le maître. Pour décrire ces nouvelles techniques, complétez le tableau suivant en vous reportant aux pages 70, 71 et 74.

Objet de base	Technique de transformation	Produit réalisé utilisation
		Les bolas (70) :
		La pirogue (71) :
		Le bouclier (74) :

b) A votre tour, imaginez comment vous pourriez tirer parti des matériaux suivants pour réaliser un objet utile et décoratif : des coquillages, des feuilles de palmier, des galets.

LA DESTRUCTION
DE L'ÎLE CIVILISÉE
(p. 77-89)

L'après-Vendredi

L'arrivée de Vendredi transforme radicalement la vie de Robinson. Retrouvez chacun des bouleversements causés par l'« esclave » à l'organisation initiale du « maître ».

Ce que faisait Robinson	Ce que fait Vendredi
Robinson ne peut sourire (p. 49-50)	
Il construit un bateau inutile (p. 22-24)	
Il détruit les rats (p. 45-47)	
Il chasse les vautours (p. 18)	
Il range dans la grotte les coffres et la poudre (p. 34- 35, 43)	
Il cultive une rizière (p. 58-59)	
Il crée des lois (p. 38-39)	

De l'ennui
au bouquet final

1. *Chasser l'ennui...*
Robinson, Vendredi et Tenn s'ennuient sur l'île civilisée (p. 72). Comment chacun essaie-t-il d'échapper à cet ennui ? (p. 77-80)

2. *Le plaisir du jeu*

a) Quand son maître n'est pas là, Vendredi se livre au plaisir du jeu en liberté. En vous reportant aux pages 78, 79 et 83, classez les jeux pratiqués par Vendredi en deux catégories : jeux de masque et de mime et jeux d'adresse.

b) Imaginez que vous ayez organisé avec des amis un carnaval riche en déguisements et en surprises. Racontez cette fête en une vingtaine de lignes.

3. *La destruction de l'île civilisée*
Résumez les principales étapes de la destruction de l'île civilisée en donnant un titre à chacune d'elles.
- Quelles sont les conséquences de l'explosion de la grotte ?
- Pourquoi Robinson ne se met-il pas en colère ?
- En quoi sa vie va-t-elle changer ?

VENDREDI
OU LA LIBERTÉ DU JEU
(p. 91-116)

L'apprentissage de la « vie sauvage »

1. *L'explosion*
Comparez la vie de Robinson avant et après l'explosion (p. 91-92).
- Qu'est-ce qui change dans son aspect extérieur ? Et dans son comportement ?

2. *De l'utile à l'agréable...*
Vendredi fait d'un objet utile à la chasse (l'arc) un objet de jeu et même un objet poétique (ses flèches planent « comme des mouettes », p. 93).
Quel autre usage pourrait-on faire des objets suivants, si on leur appliquait la méthode de Vendredi : un parapluie, un fusil, une citrouille, une canne à pêche, un oreiller ?

3. *Les inventions de Vendredi*
a) Vendredi invente sans cesse quelque chose.
En vous reportant aux pages 91-116, résumez tout ce qu'il apprend à Robinson.

b) A vous d'imaginer les règles d'un nouveau jeu auquel Robinson et Vendredi pourraient se livrer sur l'île.

Et maintenant, inventez, comme Vendredi (p. 95-97), une recette extraordinaire en ayant soin de préciser : les ingrédients, les proportions et les différentes étapes de la réalisation.

Le théâtre en liberté

1. *Le « jeu des deux copies »* (p. 98-100)
- En quoi consiste ce jeu ?
- Pourquoi Vendredi l'a-t-il inventé ?
- Quelle leçon veut-il donner à Robinson ?
- Comment le jeu se prolonge-t-il dans le chapitre suivant ? (p. 101-105)

2. Ecrivez une courte scène de théâtre comique au cours de laquelle Robinson et Vendredi se disputeraient... pour rire. Vous pouvez jouer cette scène à deux, puis vous échangerez vos rôles comme dans le jeu inventé par Vendredi.

Le langage en liberté

1. Pour Vendredi, « la lune est le galet du ciel ». (p. 109) Expliquez cette image et relevez aux pages 109-110 les autres métaphores inventées par Vendredi.
- Pourquoi Robinson a-t-il du mal à entrer dans ces jeux de langage ?

2. Jouez au « portrait araucan en cinq touches » (p. 110) en déchiffrant l'énigme suivante : « C'est un ruban d'argent, c'est un murmure entre les saules, c'est une couleuvre lente dans l'herbe fraîche, c'est une paresseuse dans son lit, c'est la force du moulin. »
A votre tour, inventez une énigme en cinq touches mystérieuses sur le même principe. Et jouez à ce jeu avec vos amis ou vos parents.

3. Vendredi et Robinson créent un langage muet : celui des gestes (p. 114-115).
Mimez ou dessinez des gestes qui signifieraient :
Il fait beau - J'ai peur - Il est tard - J'ai froid - Je vois un chien.
Imaginez maintenant un dialogue entre deux perroquets qui commenteraient la vie sauvage de Robinson et de Vendredi.

Solutions page 190

LE CYCLE D'ANDOAR
(p. 117-136)

Le vol d'Andoar

1. *Le combat entre Vendredi et Andoar*
Racontez oralement, en la résumant, la lutte de Vendredi et d'Andoar. (p. 117-125)
- Pour quelles raisons Vendredi affronte-t-il le « roi des chèvres » ?
- S'agit-il encore d'un jeu ?
- Pourquoi, Andoar mort, Vendredi n'abandonne-t-il pas sa dépouille à la terre ?
- Qu'y a-t-il de surprenant dans le pari de Vendredi de faire voler et chanter Andoar ? (p. 127 et 134)

2. *Le cerf-volant*
Quels matériaux Vendredi utilise-t-il pour construire le cerf-volant ? (p. 131)
- Quel est le point commun entre tous ces éléments ?
- Relevez les expressions qui décrivent le vol du cerf-volant et montrez que c'est un véritable objet de jeu.
- Le cerf-volant de Vendredi est emporté par une rafale de vent. Racontez son voyage en décrivant ce qu'il survole.

Vendredi
ou l'homme éolien

1. *Les quatre éléments*
Depuis l'Antiquité, on considère dans la nature quatre éléments primordiaux :
- la terre (celle qui produit le blé et la vigne)
- l'eau (et particulièrement l'élément marin)
- le feu (celui de la forge et celui du volcan)
- l'air (le vent)

Recherchez le nom des divinités que les Anciens associaient à ces quatre éléments.
- A quel élément peut-on rattacher Robinson ?
- Quels épisodes le prouvent ?
- Le soleil résulte de la combinaison de plusieurs éléments : lesquels ?
- En quoi Speranza est-elle une île solaire ?

2. *Vendredi et les éléments*

a) Vendredi, pour sa part, se joue de tous les éléments. Classez les épisodes suivants en fonction des éléments utilisés par Vendredi (certains épisodes peuvent « marier » plusieurs éléments)
- la construction de la pirogue (p. 71)
- le déguisement de l'homme-plante (p. 83)
- l'explosion de la grotte (p. 86)
- la fabrication de l'arc et des flèches (p. 93)
- la cuisson des oiseaux (p. 95-96)
- le tonneau de poudre (p. 106-107)
- le combat contre Andoar (p. 122-123)
- la construction du cerf-volant (p. 131-133)

b) Quel est l'élément favori de Vendredi ?
- Pourquoi sa harpe est-elle « éolienne » ?
- De quelles qualités Vendredi fait-il preuve dans sa fabrication ?
- Quel était l'élément d'Andoar ? Où régnait-il ?
- Quel est, grâce à Vendredi, son nouvel élément ?
- Quel pouvoir a donc Vendredi ?
- Pourquoi le spectacle d'Andoar volant et d'Andoar chantant est-il « terrible » ? (p. 136)

3. *Et vous, quel élément préférez-vous ?*
- Ecrivez un poème ou une chanson ayant pour thème cet élément.
- Imaginez ensuite et décrivez un instrument de musique extraordinaire dont la fabrication et l'utilisation requièrent l'intervention de l'eau, de la terre, de l'air et du feu.

DE VENDEDI A DIMANCHE :
UNE AVENTURE SANS FIN
(p. 137-152)

Le « Whitebird »

1. *Montrez que l'arrivée du* Whitebird *marque comme un recommencement de l'aventure de Robinson.*
- Combien de temps celui-ci est-il resté sur l'île ?
- Quels détails indiquent que de longues années se sont écoulées depuis le naufrage de *La Virginie* ?

2. *Qu'est-ce que le progrès selon le commandant Hunter et son second Joseph ?*
- Dites ce qui choque Robinson chez ces hommes « civilisés ».
Savez-vous ce qu'est le « commerce triangulaire » au XVIIIᵉ siècle ? Vous pouvez lire sur ce thème et sur celui de la folie de l'or le conte de Voltaire *Candide*.

Rester ou partir

1. *Pourquoi Vendredi part-il finalement sur le* Whitebird *?*
- Et vous, qu'auriez-vous fait à sa place ?
- Vous attendiez-vous à cette fin ?
- Que peut-on imaginer de la suite de son aventure et de sa découverte du monde « civilisé » ?

2. *Pourquoi Robinson décide-t-il de rester à Speranza ?*
Résumez en quelques lignes les principales leçons que lui a enseignées Vendredi :
- les relations entre êtres humains
- la façon de vivre en harmonie avec son corps
- l'art d'utiliser les éléments naturels
- le pouvoir du jeu
- les relations entre les mots et les choses.

3. *La rencontre du mousse Jean marque-t-elle une répétition de la rencontre avec Vendredi ?*
Ecrivez un nouveau chapitre de *Vendredi ou la Vie sauvage* en imaginant ce que Robinson apprendra à son nouveau compagnon pour rester fidèle à la vie nouvelle que lui a enseignée Vendredi.

3
JEUX ET APPLICATIONS

L'île aux trésors

Rappelez-vous comment Robinson et Vendredi tirent parti des trésors de Speranza, c'est-à-dire de sa faune et de sa flore, en répondant aux cinq questions suivantes :
1. Que peut-on faire d'un eucalyptus mort ?
2. Que fabrique-t-on avec l'écorce du houx ?
3. Comment embellir des cactus ?
4. A quoi peut servir le jus de noix ?
5. Comment faire chanter un bouc ?

Solutions page 190

L'invention fabuleuse

Choisissez deux animaux dans la faune de Speranza et écrivez une fable à la manière de La Fontaine. Par exemple :
le Termite et la Fourmi rouge, ou encore *le Perroquet et le Vampire...*

Le jeu du chasseur

Règles du jeu
Le jeu du chasseur se joue avec un dé, à deux ou trois lecteurs de *Vendredi ou la Vie sauvage*.
Le premier joueur lance un dé : s'il obtient 1, il répond à la première des questions ci-dessous ; s'il obtient 2, il répond à la deuxième question, et ainsi de suite.
S'il donne une réponse exacte, il relance le dé et avance d'autant de cases que le chiffre indiqué par le dé.
S'il donne une réponse inexacte, c'est à son voisin de jouer (choisissez un arbitre impartial pour contrôler les réponses, données à la fin de ce livre).
Le gagnant est celui qui arrive le premier à la case n° 13. Mais attention : pour parvenir à cette dernière case, il faut que le dé indique exactement le chiffre correspondant au nombre de cases qui vous en séparent. Sinon vous devrez aller jusqu'à la case n° 13, puis revenir sur vos pas (si, par exemple, vous vous trouvez à la case n° 10 et que vous obteniez 5 en lançant le dé, vous aboutirez à la case n° 11.)

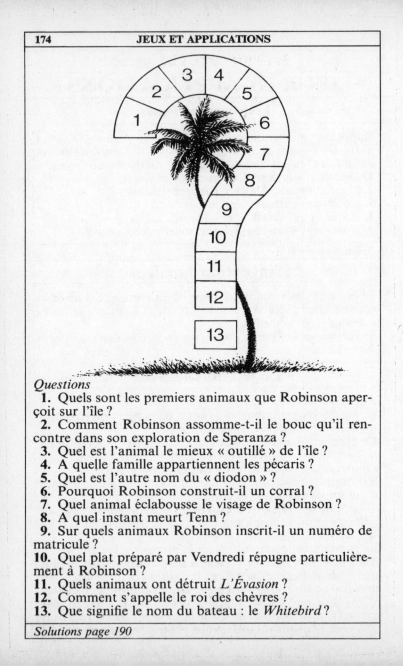

Questions

1. Quels sont les premiers animaux que Robinson aperçoit sur l'île ?

2. Comment Robinson assomme-t-il le bouc qu'il rencontre dans son exploration de Speranza ?

3. Quel est l'animal le mieux « outillé » de l'île ?

4. A quelle famille appartiennent les pécaris ?

5. Quel est l'autre nom du « diodon » ?

6. Pourquoi Robinson construit-il un corral ?

7. Quel animal éclabousse le visage de Robinson ?

8. A quel instant meurt Tenn ?

9. Sur quels animaux Robinson inscrit-il un numéro de matricule ?

10. Quel plat préparé par Vendredi répugne particulièrement à Robinson ?

11. Quels animaux ont détruit *L'Évasion* ?

12. Comment s'appelle le roi des chèvres ?

13. Que signifie le nom du bateau : le *Whitebird* ?

La voix aux chapitres

Ce roman est composé de trente-cinq courts chapitres.
a) Nous vous proposons dans la liste ci-dessous un titre pour dix de ces chapitres :

Chapitre	Page	Titre
1	9-11	
2	13-14	
3	16-18	La flamme de l'espoir
4	19-20	
5	22-24	
6	25-27	Les dangers de la souille
7	30-36	
8	37-44	La loi et la coutume
9	45-47	
10	49-50	
11	51-52	Le temps, prisonnier du travail
12	53-56	
13	58-63	
14	65-67	
15	68-71	
16	72-76	
17	77-80	La liberté du jeu
18	81-83	
19	85-86	
20	87-89	La destruction de l'île civilisée
21	91-94	
22	95-97	
23	98-100	
24	101-105	Le théâtre des doubles
25	106-107	
26	108-111	
27	112-116	Le langage des mains
28	117-124	
29	125	
30	127	
31	128-129	Le vertige de Robinson
32	131-133	
33	134-136	La plainte de l'arbre chantant
34	137-146	
35	147-152	

b) Voici à présent dix autres titres. Placez chacun d'eux devant le chapitre auquel il correspond.

L'Évasion en échec - Dans l'île maternelle - Les deux rires sur le rivage - Le jardin secret de l'homme-plante - Le feu aux poudres - L'apprentissage du plaisir - Le jeu des deux copies - L'envol des mots - La victoire de Vendredi - Le grand cerf-volant.

c) Nous avons ainsi donné un titre à vingt chapitres du livre.
Sauriez-vous trouver un titre pour chacun des quinze chapitres restants ?

La chasse continue

Un animal se cache parmi les végétaux suivants. Chassez l'intrus et utilisez un dictionnaire pour savoir à quoi ressemblent les plantes étranges de Speranza :
le raphia - l'araucaria - l'agouti - le coudrier - le myrte.

Solutions page 191

4
LES ROBINSONS
DANS LA LITTÉRATURE

Alexandre Selkirk
le vrai Robinson

Le 31 janvier 1709 un canot occupé par six hommes armés et un officier se détacha du *Duke*, navire de guerre anglais équipé de trente canons, et aborda la place de l'île Más a Tierra, la plus importante de l'archipel Juan Fernández, situé dans l'océan Pacifique à six cents kilomètres à l'est de Santiago-du-Chili. Les hommes eurent bientôt la surprise de voir gesticuler à terre un personnage hirsute, vêtu de peaux de chèvres. L'un d'eux lui demanda quel était le meilleur endroit pour atterrir. L'inconnu répondit à grands gestes et bondit de rocher en rocher à leur rencontre.

Il s'appelait Alexandre Selcraig, mais Selkirk était son nom de mer, car la coutume voulait alors qu'on changeât de patronyme en s'engageant sur un navire. Au printemps de l'année 1703 il avait quitté sa ville natale, Largo, un petit port de la côte écossaise, pour s'engager à Londres sur le *Cinq Ports* – quatre-vingt-dix tonneaux, seize canons, soixante-trois hommes – qui devait en compagnie d'un autre navire, le *Saint-Georges*, donner la chasse dans le Pacifique aux galions espagnols chargés de métaux précieux. A vingt-sept ans Selkirk n'était plus un novice.

Fait prisonnier par des pirates, il avait été vendu à un boucanier français à Saint-Domingue. Là pendant trois années, il avait forcé, tué et dépecé des taureaux et des vaches sauvages dont la chair fumée était d'un fructueux rapport. Son surnom – Tête de pierre – en disait long sur son caractère.

Aussi bien sa mésentente avec le lieutenant Thomas Stradling commandant le *Cinq Ports* éclata-t-elle dès le début de la course et ne cessa d'empirer, d'autant plus que l'expédition se révéla décevante. C'est pourquoi, à l'occasion d'une relâche à Más a Tierra où les deux navires s'étaient rejoints en février, Selkirk avait-il exploré l'île et noté toutes ses ressources dans une intention bien arrêtée. Il faut ajouter que cet homme fort et fruste croyait aux présages et qu'un rêve lui avait prédit le sort le plus lamentable pour le *Cinq Ports* et ses hommes. N'importe, ce premier contact de Robinson et de son île a quelque chose d'émouvant. Bien que déserte, elle était parfaitement habitable. Au demeurant elle avait eu un habitant de 1680 à 1683, un Indien mosquito oublié par un navire et qui n'avait été recueilli que trois ans, deux mois et onze jours plus tard, en excellente santé. En somme Vendredi avait précédé Robinson de plus de vingt ans, manquant ainsi un rendez-vous mémorable. Il faudra le génie de Daniel Defoe pour réparer cette erreur du destin.

En septembre l'affaire était décidée entre Selkirk et Stradling. Le *Cinq Ports*, ayant à nouveau fait escale à Más a Tierra, repartirait sans l'Ecossais. On le déposa sur la plage avec un coffre personnel, un fusil, quelques munitions et une Bible. Or au tout dernier moment, il mesura soudain la folie de sa décision et, comme la chaloupe s'arrachait à l'empreinte de son étrave dans le sable, il céda à la panique. Il supplia Stradling de le ramener à bord. Le commandant accepta, mais alors Selkirk serait mis aux fers comme mutin et livré à la Justice anglaise du premier port touché. La condition était inacceptable. Selkirk dut se résigner à son sort. Bien lui en prit d'ailleurs, car le *Cinq Ports*, conformément à ses présages, devait tomber peu après aux mains des Espagnols, et son équipage décimé être vendu comme esclaves. Mais ces tristes nouvelles n'arrivèrent à sa connaissance que bien plus tard.

Il s'avéra en effet que si Más a Tierra était une terre au total avenante, au climat tempéré, les rares visites qu'elle recevait étaient de fort mauvais aloi. Les navires qui venaient s'y approvisionner en eau, choux palmistes et viandes battaient pavillon espagnol, quand ils n'arboraient pas le drapeau noir à tête de mort des pirates. Plus d'une fois Selkirk ne dut son salut qu'à ses jambes et à la parfaite connaissance qu'il avait de l'intérieur de l'île. Il fallut quatre ans et quatre mois pour qu'un navire anglais voulût bien se présenter.

Après une assez longue escale à Más a Tierra le *Duke* et son compagnon le *Dutchess* reprirent la chasse à l'Espagnol et au Français. L'expédition avait pour chef le capitaine Woodes Rogers, qui raconta plus tard dans ses mémoires l'épisode « robinsonien » de sa carrière. Selkirk fit preuve des plus grandes qualités maritimes, auxquelles s'ajoutait une indifférence à l'égard de l'alcool et du tabac qu'il devait à sa longue abstinence. Parfois un navire capturé venait grossir l'expédition. Il fallait alors lui trouver un équipage et un capitaine. C'est ainsi que Selkirk se vit finalement confier le commandement d'une capture rebaptisée l'*Increase*. Il participa brillamment en cette qualité à la mise à sac de la ville espagnole de Guayaquil en Equateur. Il dut attendre le 14 octobre 1711 pour fouler à nouveau la terre maternelle, qu'il avait quittée huit ans, un mois et trois jours auparavant.

La sensation que provoqua son retour fut considérable. Chose remarquable, les aventures de ce genre – naufragés revenant après des années de solitude passées sur un îlot – ne manquaient pas dans le passé. Il serait facile d'en citer bon nombre, à commencer par celle de l'Indien mosquito dont nous avons déjà parlé. Aucune n'avait eu le retentissement de celle de Selkirk. Ce point importe à notre propos. C'est qu'en effet pour la première fois le terrain était prêt à recevoir ce fait divers, semence de mythe. Selkirk devient un personnage, on accourt, on l'interroge. Les plus perspicaces scrutent les traces qu'a dû laisser en lui cette terrible épreuve de solitude. Sir Charles Steele écrit dans sa revue *The Englishman* : « La personne dont je parle ici est Alexandre Selkirk, dont le nom est familier aux amateurs de curiosités. J'ai eu le plaisir de causer fréquemment avec l'homme à son retour en Angleterre en l'année 1711. Il était très curieux de l'entendre car c'est un homme de bon sens qui sait donner un récit des différentes révolutions de son esprit dans la longue solitude. Quand je le vis pour la première fois, même si je n'avais pas été averti de son caractère et de son histoire, j'aurais discerné qu'il avait été longtemps privé de compagnie en raison de son aspect et de son attitude. Il existait une forte et sérieuse expression dans son regard et un certain détachement des choses ordinaires qui l'entouraient, comme s'il avait été plongé dans la méditation. L'homme souvent regrettait son retour dans le monde qui ne pouvait, assurait-il, malgré ses agréments, lui rendre la tranquillité de sa solitude. »

On aurait rêvé pour lui un destin hors du commun, une vie marquée à tout jamais par l'aventure exemplaire de sa jeunesse, orientée par une vocation impérieuse – littéraire, philosophique, religieuse ou simplement perverse – née dans les montagnes pelées de Más a Tierra. Defoe se contente de le faire torturer par une incoercible bougeotte. Un autre roman reste à écrire sur l'impossible réinsertion sociale du grand solitaire du Pacifique. Or la suite et la fin d'Alexandre Selkirk sont banales. Il se marie, embarque à nouveau, meurt en 1723 à bord d'un vaisseau de Sa Majesté, le *Weymouth*.

Daniel Defoe
Robinson Crusoé

Daniel Defoe rencontra-t-il Alexandre Selkirk ? Rien ne le démontre. Un faible indice tendrait cependant à prouver le contraire. Selkirk revient en Angleterre en 1711. Le roman de Defoe ne paraît qu'en 1719. Il semble que si l'écrivain avait rencontré personnellement son modèle, le délai aurait été moins long entre l'aventure réelle et sa transcription romanesque. Defoe n'aurait-il pas été stimulé dans son travail par ce contact étrange, par ce témoignage irremplaçable ? Simple conjecture. A cela s'ajoute que les écarts entre l'histoire et l'œuvre littéraire sont nombreux. D'abord les lieux. Oubliée l'île Más a Tierra dans le Pacifique ! Robinson Crusoé sera jeté sur une île des Caraïbes, proche de l'embouchure de l'Oréno-que, dans l'océan Altantique par conséquent. Pourquoi ce changement ? Sans doute parce que l'auteur, visant au succès populaire, a préféré cette région du globe plus connue et plus riche en légendes et en récits que l'archipel Juan Fernández. De même la durée de la solitude du héros passe de quatre ans et quatre mois à vingt-huit ans. Il faut ce qu'il faut ! Selkirk avait été déposé à Más a Tierra en demi-mutiné, en tout cas pour incompatibilité d'humeur avec son commandant. Crusoé est jeté sur son île à la suite d'un naufrage dont il est le seul survivant.

Le Robinson suisse   *Le Robinson des demoiselles*

C'est plus édifiant, seul le doigt de Dieu étant intervenu dans ce coup du sort. Mais bien entendu, c'est à mes yeux au moins l'invention du personnage de Vendredi qui constitue l'apport le plus génial de Daniel Defoe aux données historiques. Nous y reviendrons.

Ce qui compte au premier chef, c'est le succès de ce livre qui fut éclatant au double sens du terme. Car le pauvre Daniel Defoe, qui n'avait connu auparavant pour des ouvrages sérieux et méritoires que misère et persécution, se retrouva vite célèbre et riche, à telle enseigne qu'il se hâta de donner une suite, des suites, aux aventures de Robinson Crusoé. Le lecteur d'aujourd'hui qui aborde pour la première fois une édition complète du roman n'est pas peu surpris de constater que l'épisode de l'île déserte n'occupe que son premier tiers, le reste se situant dans le monde entier jusqu'à la mort de Vendredi, revenu malencontreusement dans la fameuse île et tué par des Indiens qui pourraient être ses frères.

Le succès du roman de Daniel Defoe, aussi considérable qu'il fût, serait comparable à celui de bien d'autres chefs-d'œuvre littéraires s'il n'avait pas suscité autant de versions nouvelles et d'imitations dans tous les pays du monde. Les exemplaires de ce livre – traduits ou non – agissaient comme autant de graines dispersées par le vent et produisant où elles tombaient des œuvres nouvelles, profondément influencées par la mentalité et le climat du pays. On a vu ainsi – pour ne citer que les plus célèbres – un *Robinson des demoiselles,* un *Robinson des glaces,* un *Robinson suisse* – le père de famille y est surtout préoccupé d'exploiter toutes les ressources pédagogiques que recèle l'île au profit de ses enfants, – tout près de nous Saint John Perse a écrit ses admirables *Images à Crusoé* et Jean Giraudoux *Suzanne et le Pacifique,* où une jeune fille de Bellac remplace le puritain barbu de Defoe. On dirait que chaque génération a éprouvé le besoin de se raconter, de se reconnaître et ainsi de se mieux connaître à travers cette histoire. Robinson a très vite cessé d'être un héros de roman pour devenir un personnage mythologique.

Les Robinsons
de Jules Verne

Le cas de Jules Verne écrivant *L'Ile mystérieuse* (1874) nous paraît particulièrement instructif. Nul doute qu'en publiant ainsi *son* Robinson Crusoé, l'auteur n'ait voulu lancer un défi au héros de Daniel Defoe, né cent cinquante ans plus tôt. Robinson disposait en effet de deux atouts majeurs dans sa lutte pour survivre. D'abord il avait reçu un véritable viatique grâce à l'épave du navire, laissée à sa disposition par la civilisation. Ensuite il avait été jeté sur une île verdoyante, gorgée de fruits et peuplée d'animaux aussi peu redoutables que les fameuses chèvres.

Les cinq naufragés de Jules Verne n'ont droit qu'à un îlot rocheux battu par les flots. Ensuite ils arrivent en ballon, accrochés au filet, car ils ont été contraints de larguer la nacelle pour n'être pas engloutis dans la mer. En les voyant s'ébrouer sur leur île comme des chiens mouillés, on songe irrésistiblement à cinq prestidigitateurs qui, ayant retroussé leurs manches, agiteraient leurs doigts écarquillés en prononçant la phrase rituelle : rien dans les mains, rien dans les poches ! Sur quoi nous assistons à un festival étourdissant d'inventions, de trouvailles, de stratagèmes. On fait du feu, on cuit des briques, on extrait du minerai, on forge l'acier. Ce n'est rien encore. On compose de la nitroglycérine. On fait de l'engrais chimique grâce auquel l'île, à partir d'un grain trouvé dans la doublure d'une veste, va se couvrir de blé. On coule le verre.

On construit un ascenseur hydraulique, et bientôt
l'électricité et le télégraphe couronnent cet édifice fantastique. Robinson avec son enclos et ses chèvres est surclassé,
battu, ridiculisé.

C'est que parmi les cinq naufragés il y a Cyrus Smith,
un *ingénieur* – un mot superbe où se mêlent le génie et l'ingéniosité –, héros « julesvernien » par excellence qui
incarne le triomphe des sciences appliquées et des techniques. On pourrait certes ironiser sur ces cinq naufragés
que pas une fois ne visite la tentation du doute, du désespoir ou de la haine. Pour n'avoir pas fait d'électricité Crusoé, avec ses crises religieuses et ses idées de suicide, avait
un autre poids humain. Jules Verne pourrait répondre
sans doute que le travail, c'est le bonheur, et qu'on n'a
guère le temps de pleurer quand il s'agit de fabriquer de
l'acide sulfurique ou du verre à vitre à partir de rien.

Mais il aurait une autre réponse. Si ses héros n'ont
guère de vie intérieure, leur île possède la sienne. Cette vie
secrète de l'île mystérieuse s'appelle Nemo. Car le commandant du *Nautilus*, sombre métaphysicien des abysses,
est caché dans son joujou magique au fond des rochers.
Smith, c'est le héros du XIXᵉ siècle rêvant au XXᵉ. Et
Smith, malgré son génie ingénieux, se sent tout à coup très
petit garçon en face du solitaire grandiose que nous ver-
rons jouer des chorals de Bach sur l'orgue de son sous-
marin tandis qu'un séisme l'engloutira avec l'île mystérieuse. [...]

Vendredi

Les années de solitude de Robinson – seul aspect de l'aventure que connut Alexandre Selkirk – le cèdent en importance à l'autre grand thème du roman, dont elles ne sont finalement que la préparation nécessaire, je veux parler de la survenue de Vendredi. Qu'était Vendredi pour Daniel Defoe ? Rien, une bête, un être en tout cas qui attend de recevoir son humanité de Robinson, l'homme occidental, seul détenteur de tout savoir, de toute sagesse. Et quand il aura été dûment morigéné par Robinson, il deviendra tout au plus un bon serviteur. L'idée que Robinson eût de son côté quelque chose à apprendre de Vendredi ne pouvait effleurer personne avant l'ère de l'ethnographie. C'est sur ce point que la vertu proprement mythologique de cette histoire se manifeste le plus crûment. Car il est évident que la rencontre Robinson-Vendredi a pris depuis quelques décennies une signification que le cher Daniel Defoe était à cent mille lieues de pouvoir soupçonner.

Relisant son roman, je ne pouvais en effet oublier mes années d'études au musée de l'Homme. Là j'avais appris qu'il n'y a pas de « sauvages », mais seulement des hommes relevant d'une civilisation différente de la nôtre et que nous avions grand intérêt à étudier. L'attitude de Robinson à l'égard de Vendredi manifestait le racisme le plus

ingénu et une méconnaissance de son propre intérêt. Car pour vivre sur une île du Pacifique ne vaut-il pas mieux se mettre à l'école d'un indigène rompu à toutes les techniques adaptées à ce milieu particulier que de s'acharner à plaquer sur elle un mode de vie purement anglais ?

C'est bien là le merveilleux de cette histoire. Les deux volets de Robinson sur son île, *Avant-Vendredi, Avec-Vendredi*, s'articulent parfaitement l'un sur l'autre, le drame de la solitude s'exhalant dans un appel à un compagnon, puis se trouvant soudain étouffé, suffoqué par la survenue d'un compagnon en effet, mais inattendu, surprenant, une déception affreuse – un nègre ! – contenant pourtant toutes les promesses d'une relance prodigieuse de l'aventure et de l'invention. Car il est clair qu'un compagnon tel que Robinson l'attendait – un autre Anglais, un autre Robinson – aurait fait retomber l'aventure assez platement.

À ces deux parties s'en ajoute dans *Vendredi ou les Limbes du Pacifique* une troisième – la souille – qui les précède et donne à l'ensemble une allure dialectique. Il était dans la logique romanesque qu'après avoir vainement espéré qu'on viendrait le chercher et tenté de signaler sa présence ou de construire un canot, Robinson connût une période de désespoir et de déchéance. Il découvre une mare boueuse où une harde de pécaris vient s'engloutir pendant les heures les plus chaudes de la journée. Il imite ces bêtes

et se souille, comme un cochon, ne laissant émerger de l'eau croupie que son nez et sa bouche, cependant que les émanations délétères des marais le plongent dans un abrutissement proche de la mort.

A ce degré zéro de sa vie insulaire succède une reprise en main de son destin. Il remonte la pente, s'impose une discipline, organise et cultive l'île comme une colonie anglaise. C'est la période de l'« île administrée ». Nous sommes à l'époque où les puritains anglais envahissent et colonisent, la Bible à la main, les terres vierges du Nouveau Monde. Ils devaient s'inspirer d'une morale de l'accumulation à outrance codifiée dans les *Almanachs* de Benjamin Franklin qui, partant du calvinisme, aboutit à la société libérale et capitaliste. Le Robinson de l'île administrée est possédé par cet esprit, qui ne voit de salut que dans le travail et la production. Mais sa solitude rend son travail dérisoire et donne à sa production – de céréales, de viande séchée, de poisson, de fruits – les allures d'une entreprise folle, alors qu'elle se voudrait la sagesse même.

Vendredi paraît d'abord justifier l'organisation maniaque de l'île par Robinson. Il va être le « sujet » unique de ce royaume, le seul soldat du général Robinson, le seul contribuable du percepteur Robinson, etc. Il se plie apparemment à tout avec une docile bonne humeur. Mais sa présence suffit déjà à ébranler l'organisation de l'île, car visiblement il ne comprend rien à tout cela, et Robinson se voit dans ses yeux et ne peut plus désormais ne pas juger sa propre folie. Vendredi sème le doute dans un système qui ne tenait que par la force d'une conviction aveugle. C'est pourquoi quand, à la fin, il provoque à demi involontairement la destruction de toutes les provisions accumulées par Robinson et de toutes les richesses sauvées du naufrage de son navire, Robinson ne réagit que faiblement, comme s'il avait attendu, presque espéré, cette catastrophe.

Dès lors c'est Vendredi qui mène le jeu, il invente et il précipite Robinson dans l'invention où l'Anglais ne s'était hasardé que timidement jusque-là, l'île administrée n'étant qu'une scrupuleuse reconstitution de la civilisation perdue. Le principe de Vendredi est aérien, éolien, ariellien. Ses attributs s'appellent la flèche, le cerf-volant, la harpe éolienne. C'est d'ailleurs ce qui le perdra, car il ne saura pas résister à la séduction du fin voilier anglais qui jettera l'ancre au large de l'île. Robinson a d'abord appartenu au règne terrestre. Il avait du paysan l'âpreté et la lenteur. Il va d'abord jusqu'au bout de cette vocation en aimant son île comme un enfant aime sa mère (épisode de la grotte), puis comme un époux aime sa femme (épisode des mandragores). Mais il subit ensuite une lente métamorphose qui le tourne vers le soleil, et que l'influence de Vendredi portera à son achèvement.

Michel Tournier,
Le Vent Paraclet,
© Gallimard

5
SOLUTIONS DES JEUX

Pourriez-vous vivre sur une île déserte ?
(p. 155)

Si vous avez une majorité de ☆ **:** vous êtes une personne civilisée et vous n'aimez l'aventure que lorsque vous n'en êtes pas le héros.

Si vous avez une majorité de □ **:** vous rêvez de la vie sauvage, de la grande évasion, surtout parce que vous aimez la solitude.

Si vous avez une majorité de ○ **:** vous seriez le compagnon idéal de Robinson et de Vendredi sur leur île parce que vous aimez inventer et rire.

Avez-vous bien lu
« Vendredi ou la Vie sauvage » ?
(p. 156)

1 : B (p. 9) - 2 : C (p. 10) - 3 : A (p. 19) - 4 : B (p. 23) - 5 : A (p. 28) - 6 : C (p. 31) - 7 : A (p. 35) - 8 : B (p. 38) - 9 : B (p. 53) - 10 : C (p. 55) - 11 : B (p. 91) - 12 : A (p. 73) - 13 : C (p. 89) - 14 : B (p. 99) - 15 : B (p. 96) - 16 : A (p. 110) - 17 : B (p. 121-122) - 18 : C (p. 135) - 19 : A (p. 140) - 20 : C (p. 152)

Si vous obtenez entre 15 et 20 bonnes réponses : bravo ! Speranza et ses habitants n'ont guère de secrets pour vous. Vous avez très bien lu le livre et votre mémoire est excellente.

Si vous obtenez entre 10 et 15 bonnes réponses : ce n'est pas mal, mais votre exploration de la vie sauvage comporte quelques lacunes. Peut-être ne serait-il pas inutile de relire quelques pages du livre pour vous rafraîchir la mémoire ?

Si vous obtenez entre 5 et 10 bonnes réponses : vous vous êtes contenté de survoler le récit. Redescendez donc sur terre et replongez-vous dans le texte : vous y découvrirez tout ce qui vous a échappé.

Si vous obtenez moins de 5 bonnes réponses : c'est vous le naufragé ! Mais n'ayez aucune inquiétude : Robinson s'en est bien tiré, alors faites comme lui ; il vous suffit pour cela de relire le livre en jouant avec Vendredi aux jeux de la vie sauvage.

Le langage en liberté
(p. 169)

2. La réponse à l'énigme mystérieuse est : la rivière.

L'île aux trésors
(p. 173)

1. Une immense torche (p. 18)
2. De la glu (p. 23)
3. En les transformant en mannequins déguisés (p. 78)
4. On peut en faire une teinture pour la peau (p. 102)
5. En faisant de ses cornes une harpe éolienne (p. 135)

Le jeu du chasseur
(p. 173)

1. Les mouettes
2. Avec une grosse souche
3. Le crabe-scie
4. Aux sangliers
5. Le poisson-hérisson
6. Pour parquer ses chèvres
7. Une pieuvre grise
8. Au moment de l'explosion
9. Sur les tortues de mer
10. Du serpent aux sauterelles
11. Des termites
12. Andoar
13. « Oiseau blanc »

La voix aux chapitres
(p. 175)

Les dix titres à placer :

Chapitre 5　 : *L'Évasion* en échec
Chapitre 12 : Dans l'île maternelle
Chapitre 14 : Les deux rires sur le rivage
Chapitre 18 : Le jardin secret de l'homme-plante
Chapitre 19 : Le feu aux poudres
Chapitre 21 : L'apprentissage du plaisir
Chapitre 23 : Le jeu des deux copies
Chapitre 26 : L'envol des mots
Chapitre 29 : La victoire de Vendredi
Chapitre 32 : Le grand cerf-volant

La chasse continue
(p. 176)

L'intrus est l'agouti, un lièvre haut sur pattes, très gros et avec des oreilles courtes. (p.51)